ADELANTE

CUENTOS DE AMOR

Narrativa Breve

Fotografía de cubierta: *A Soldier Greets His Girl*. Lambert/Contributor, Hulton Archive, Getty Images, 31 de diciembre de 1944.

Nuestro fondo editorial en www.ppespuma.com

Primera edición: febrero de 2008

ISBN: 978-84-8393-005-2
Depósito legal: M-4352-2008

© De los textos, sus autores, 2008
© De la fotografía de cubierta, Gettyimages®, 2008
© De esta portada, maqueta y edición, Editorial Páginas de Espuma, S. L., 2008
c/Madera 3, 1° izq. 28004 Madrid
Tel.: 915 227 251 Fax: 915 224 948
E-mail: ppespuma@arrakis.es

Fotomecánica: FCM
Impresión: Omagraf
Encuadernación: Seis, S. A.

Impreso en España, CEE. Printed in Spain.

5p

A. Bioy Casares, R. Chacel, L. Mateo Díez,
J. C. Onetti, F. Quiñones,
M. Rodoreda, M. Vázquez Montalbán...

CUENTOS DE AMOR

Prólogo de Esther Cross

*Selección de Viviana Paletta
y Javier Sáez de Ibarra*

PÁGINAS DE ESPUMA

Amor y literatura

Antes de convertirse en hombres y mujeres, los chicos y las chicas saben que van a enamorarse. Todavía no imaginan su futuro –que en el mejor de los casos es un gran presentimiento– pero están seguros de que eso va a pasarles. Son tan distintos entre sí que es una injusticia nombrarlos en conjunto y sin embargo hay algo en lo que todos se parecen: saben que van a enamorarse.

Tienen una lista invisible de recursos para poner en práctica llegado el momento: portazos, escándalos, huidas, ataques de todo tipo –a veces de mal gusto–, recaídas, declaraciones.

Se dan cuenta: el amor puede ser una aventura. Tiene lo suyo y parece inevitable. Por otro lado, están sobre aviso. Hay relaciones prohibidas, historias en coma, familias que se oponen, parejas problemáticas que a veces hasta abren sucursales. Hay finales felices pero también hay finales.

Cuando llega la hora, sienten que todo es nuevo y familiar, que ya pasaron por eso aunque eso sea imposible, que ya estuvieron ahí aunque no puedan demostrarlo. No están locos ni son blanco de maniobras esotéricas. Su déjà vu es lógico y tiene explicación. Ya vivieron esa historia en forma transitiva. Ya pasaron por ella sin tener que ejercitarla. La aprendieron a grandes rasgos y en sus mínimos detalles. La han leído. La conocen por libro.

Los chicos y las chicas leen historias de amor. Leen libros escritos por hombres y mujeres que a la misma edad de ellos leían historias en que el amor era importante. El tema es expansivo. En novelas de aventuras, policiales, de terror y ciencia ficción, hasta en libros de historia, las personas se enamoran. Alguien dijo que todas las historias son historias de amor y que todos los amores se convierten en historias porque quieren vida extra. La consiguen. Viven en la cabeza de lectores de todas las edades. Las preguntas del amor –y las de su ausencia– se filtran en la vida del lector, que nunca permanece indiferente. Crece bajo su influencia. A la hora de enamorarse en vivo y en directo podrá entender, al fin, esas preguntas inquietantes. Vendrán otras.

La literatura vuelve a la vida de muchas maneras. Hay una puerta giratoria que comunica la vida y los libros y todos entramos y salimos por ella. En un desencuentro, un lector de Flaubert no reacciona de la misma manera que un lector de Bukowski. A la hora del desplante no es lo mismo haber leído a Hemingway que a Borges. A veces la vida del lector se parece a la vida de los libros que lee. Pero esos libros hunden raíces en la vida de los escritores –que son lectores que escriben. Escribimos y leemos en un círculo vicioso hiperdinámico, con su propia ecología.

No hay historias sin personajes, así como no hay enfermedades sino enfermos. Las historias nos cuentan cómo es una persona y las historias de amor hablan sobre dos personas –a veces más- en plena interacción. Hablan también sobre ese otro –difuso, evidente, inasible- que se forma entre los enamorados: eso que llaman relación. Hablan de la diferencia que hay cuando los que se quieren están juntos o separados. Del mundo que queda dividido entre ellos y el resto, y de cómo integrarlo o desintegrarlo. De todo lo que les pasó antes y de todo lo que va a pasarles. Hay conflictos, siempre. Porque hay deseo.

Casi todos los escritores se dedican al tema en algún momento. Jorge Guillén escribió en una poesía lo que le pasa al enamorado: todo lo comunica. A veces lo comunica demasiado. Cuando eso sucede, en la vida hay problemas y en los libros, buenos cuentos.

¿Por qué, para qué, se escriben historias de amor? Hay muchas respuestas. Para que el amor de esas historias, inseparable de ellas, viva por más tiempo. Porque contar el amor es una manera de hacerlo efectivo –dicen que las cosas sólo terminan de suceder cuando podemos escribirlas. Porque en el amor vale todo, como en la guerra, y a los escritores les gusta averiguar hasta dónde llegan los seres humanos. Se escriben historias de amor para asegurarse la atención del lector –a los lectores nos gustan las historias de amor. Para tentar o aleccionar al prójimo. Porque el escritor quiere atrapar esa fugacidad que amenaza a los enamorados –aunque estén juntos toda la vida. A lo mejor los escritores escriben cuentos de amor sin querer. A lo mejor lo hacen porque, como al amor, no pueden o no quieren evitarlo. Porque quieren entender por escrito lo que no terminan de entender en su historia. Porque escribir es, en parte, organizar una experiencia y el amor debe ser la experiencia más desorganizadora. Porque escriben historias parecidas a las que les gustaban de chicos, cuando tenían esa edad en que una quiere que le cuenten mil veces lo mismo. Quién sabe. A lo mejor se escriben

9

cuentos de amor porque hay alguien que no está. O por la misma razón por que nos gusta leerlos. Porque es un tema importante. Porque es buen tema.

Los escritores tienen sentimientos pero también son profesionales y saben lo que les conviene. Encuentran buenos temas para sus personajes. Sus héroes y antihéroes pueden lucirse mejor en ciertas situaciones. Los escritores buscan historias que vuelvan más interesantes a sus personajes, historias que valgan la pena, que pregunten, que inquieten, que diviertan, que desplieguen lo mejor y lo peor de alguien –todo a la vez–, que sean honestas y sean originales. El tema del amor es una fija. El tema del amor es la constante.

Hitchcock le contó a Truffaut la historia de un guionista que estaba convencido de que al soñar se le ocurrirían grandes ideas para películas extraordinarias. Harto de no poder recordarlas, una noche se fue a dormir y dejó papel y lápiz al lado de la cama, para anotar lo que soñaba en medio de la noche. Al otro día, muerto de curiosidad y lleno de expectativas, leyó el papel. Decía: chico conoce chica y se enamora.

Conoce chica y se enamora. Es una idea buenísima. Puede pasar cualquier día y en cualquier lugar del mundo. Conoce chica y se enamora y todo entra en funciones. Le parece que no es la primera vez. Tiene razón, aunque no tanto. Lo siente, en esta ocasión es diferente. Ahora es el protagonista de su historia. Le ha llegado la hora. Es el momento en que se sienta a leerla, es el momento en que comienza a vivirla.

ESTHER CROSS

SE MIRAN, SE PRESIENTEN, SE DESEAN

Aquel me parece igual a un dios,
aquel, si es posible, superior a los dioses,
quien sentado frente a ti
contempla y oye

tu dulce sonrisa; ello trastorna, desgraciado
de mí, todos mis sentidos; en cuanto te
miro, Lesbia, mi garganta queda
sin voz,

mi lengua se paraliza, sutil llama
recorre mis miembros, los dos oídos me
zumban con su propio tintineo, y una doble noche
cubre mis ojos.

CATULO, Flechazo

SILENCIO TAN DE SILVIA

Carlos Castán

Como todos los veranos, el primer domingo después de terminar las clases nos llevaron a Biscarrués a mi hermano y a mí, a casa de la abuela. Ese día era igual año tras año, se comía ternasco y brazo de gitano y ningún adulto se levantaba de la mesa antes de las siete de la tarde. Sobre esa hora mis padres tocaban la bocina para que acudiéramos a despedirnos y prometiésemos por última vez no rechistar y hacer caso de todo lo que nos mandaran, rebañar siempre el plato y no olvidar las tareas de repaso. Luego, perseguido por el griterío de los más pequeños hasta el final de la plaza y entre una nube de tías lejanas vestidas de negro que decían adiós agitando las manos, el coche desaparecía por fin calle abajo, y nosotros nos quedábamos ahí, con aquella maleta enorme con la ropa de los dos y toda la libertad del mundo temblándonos en los ojos, como el miedo dulce ante un interminable pasillo en penumbra, con cientos de puertas chirriantes por abrir.

Los veranos entonces no se acababan nunca. No había nada, de entre todas las cosas que podíamos con-

cebir, que se pareciese más a la eternidad, por eso la primera noche era tan difícil conciliar el sueño, pensando en todas las cosas que íbamos a hacer en ese paraíso de incertidumbre. Igual que en el tintero, antes de ser abierto por primera vez, de alguna manera están ya encerrados el poema o la sentencia que alguien escribirá más tarde, nosotros notábamos que todos los gritos que íbamos a dar ese verano, los de dolor y los de alegría, los de ilusión y de guerra, estaban ya agazapados en nuestra garganta; no todavía en el viento, desde luego, pero podíamos sentirlos allí, en la oscuridad del dormitorio, en forma de insomnio y de latido.

Bajo las sábanas escuchábamos los balidos procedentes del corral y urdíamos ya nuestros primeros planes, todo lo que haríamos a partir de que se hiciera de día; excitados, nos dibujábamos el uno al otro, en el aire, los mapas de la aventura, los recorridos a seguir para encontrar un tesoro al que nuestro sueño no había alcanzado todavía a dar forma ni nombre. Y nos preguntábamos si habrían llegado ya el resto de amigos forasteros con los que coincidíamos en el pueblo un año tras otro, chavales que venían de Madrid, como nosotros, o de Alemania, Cataluña y Zaragoza, todos tristes chicos de ciudad, mustios y pálidos en comparación con cualquier lugareño de nuestra edad, con un inconfundible olor a cerrado y a la humedad de la lluvia mirada sólo desde el balcón, esa que mojaba al mundo y a los demás mientras nosotros, a buen recaudo, matábamos el rato con estúpidos rompecabezas y recortables de soldados o llenando álbumes y más álbumes con los cromos que salían en las tabletas

de chocolate y nos mostraban un mundo más allá, barcos y volcanes, tiburones y actrices, todas las sorpresas ocultas en una caja mágica que nuestros dedos aún no alcanzaban a rozar. Y luego estaba la pregunta guardada en el corazón, la que ninguno de los dos nos atrevíamos a formular en voz alta, ¿habría venido Silvia este año?

Silvia era una niña rubia y de ojos azules que vivía durante el curso en Alcobendas y se parecía un poco a Marisol, aquella que cantaba lo de «La vida es una tómbola». Nunca, ni mi hermano ni yo, habíamos podido ver de cerca algo ni la mitad de bonito que esa cara morena de once o doce primaveras, podríamos habernos quedado mirándola fascinados durante horas, caso de que se hubiese estado quieta, porque era como una princesa que cada año caía del cielo en el mismo sitio, siempre más dulce todavía de como la recordábamos, y que además era capaz de trepar a toda velocidad a los árboles más altos, decía palabrotas y sacaba los córners como nadie. La última vez que la habíamos visto, el año pasado al acabar las fiestas de la Virgen de Agosto, la cosa había quedado más o menos en que sería la novia de los dos. No sé mi hermano, pero a ella yo la quería para mí solo. Quería tener un montón de hijos con ella, y un buque blanco y yo qué sé cuántas cosas más, posiblemente un nido de águilas sobre el abismo, un sitio donde no llegara nadie, cualquier cárcel de amor cerrada desde dentro con sacos y sacos de pan y cebolla.

A la mañana siguiente, después del desayuno, fuimos de casa en casa en busca de nuestros amigos, pero

ninguno estaba. Al terminar el recorrido habíamos reunido un montón de madalenas y piezas de fruta que no queríamos para nada y seguíamos tan solos como al principio. Habíamos sido los primeros en llegar. A casa de Silvia no quisimos ir a preguntar, supongo que porque nos daba miedo, un miedo ácido y plural que suele ir confundido en la sangre con el deseo más cristalino; nos causaba pánico la idea de recibir la noticia de labios de su tía, con más galletas y bastante cachondeo, de que este año no vendría, angelicos míos. También nos daba miedo que estuviera allí, pero distinta y fría, y no se acordara ya de que era nuestra novia; o peor todavía, que le hubieran salido ya las tetas y algún chico de San Sebastián de los Reyes o algo así la llevase por ahí a pasear en moto, o se escribiera con un sucio soldado de esos que tantas veces habíamos visto en los trenes diciendo barbaridades sobre mujeres. Además, seguíamos sin nombrarla. Estaba en el aire, podría decirse que lo llenaba todo menos las palabras. Mi hermano y yo no teníamos entonces ningún secreto entre nosotros salvo ese, no los sentimientos que ambos sentíamos hacia Silvia, que esos estaban claros y públicamente reconocidos, sino más bien la medida, la intensidad, hasta qué estrella del infinito podía alcanzar el amor de cada uno, hasta qué punto el invierno sin ella nos resultaba amargo. Ese era el temor que rizaba el rizo, el que nos teníamos el uno al otro. No poder coger su mano sin hacernos daño, no hallar nunca su mirada a solas, desear verla muerta antes que quedar al margen, imaginarla muerta con su vestidito azul. Miedo a todo eso y también a ser hermanos, a querernos tanto y sin

embargo tener que sentirnos a veces como Caín, y ver esa camaradería que creíamos a prueba de bombas tan frágil de repente, tan a merced tan pronto de los venenos del mundo.

Bajamos por la Barbacana hasta la carretera y, dejando atrás el casino y Casa Carrera, cruzamos el barranco de Valdiello, y empezamos a subir hacia San Mitiel hasta llegar a la roca en donde está la huella del pie del moro. Ese era nuestro lugar favorito. Había otros, la fuente, las eras, el carrascal. Pero desde allí se divisaba todo el pueblo, la vegetación de los márgenes del Gállego y la sierra al fondo, te sentías como un rey antiguo allá arriba con la alpargata metida en aquella oquedad de la piedra, un caudillo malvado y poderoso. En los alrededores estaba la balsa de Juan Domingo, y una caseta por si nos sorprendía la lluvia donde solíamos guardar provisiones que se comían los perros. Allí cerca otros años, cuando estábamos todos, cavábamos en busca de tesoros, cofres con monedas escondidos durante la guerra, espadas con diamantes en la empuñadura o un triste fusil hundido en el barro. Nunca encontramos nada, pero jamás nos cansamos de buscar. También algunas veces nos habíamos quedado hasta ser ya noche cerrada, a la luz de un par de linternas, contando historias de apuestas en cementerios repletos de espectros tenebrosos entre las cruces de piedra comida por el musgo, y de ahogados en el río y de tormentas terribles. Nadie quería creer que al tío Jorge, estando de pastor, un rayo le fundió la medalla de oro que llevaba puesta, salvándole la vida. También solíamos hablar de cuando fuésemos mayores y de cómo

nunca nada podría separarnos. Mal empleada la sangre de todos aquellos pactos.

Estuvimos un buen rato sentados en lo alto de la colina sin sabernos decir nada. Cada uno pensaba en lo que estaría pensando el otro, nos vigilábamos ese silencio tan de Silvia que nos había atravesado como una niebla embrujada. Sin demasiado riesgo, me aventuré a romper el hielo.

–¿En qué piensas?

–En lo mismo que tú.

–¿Qué hacemos?

–No sé.

Para colmo de males, en el horizonte estaban las fiestas de agosto, que eran sobre todo la posibilidad de mecernos con ella, con los ojos cerrados, cuando los músicos tocasen desde el remolque las canciones lentas. De manera que todo era una mierda. Por un lado ahí tenía a mi inseparable hermano, compañero también durante el curso, en otoño y en invierno, tan cerca hasta ahora en todos los fríos, tan siempre ahí, con quien tarde o temprano estaba llamado a conquistar los mares que quedaran desconocidos; y por otra parte estaba ella con su olor a mandarina y el recuerdo imborrable de su pelo al viento, y ese temblor instantáneo de cuando me rozaba, queriendo o sin querer. Yo por mi hermano creo que hubiese dado la vida, pero la parte más veloz de mi sangre, una serpiente enroscada en el alma me impedía ceder. Aquello era demasiado, aquello era más que la vida.

Llegamos al acuerdo, sin mirarnos a la cara, de ir a buscarla y obligarla a elegir. Ni él ni yo podíamos

compartir a Silvia. Fue una conversación breve, digna, entre capitanes. Ya se sabe, las palabras casi siempre sobran cuando es cuestión más que nada de cojones. Que la vida puede llegar a ser así de dura lo habíamos visto sólo en las películas. En completo silencio, pero muy juntos, emprendimos el descenso hacia el pueblo. El camino hasta su casa fue un tremendo via crucis del que recuerdo sólo el dolor, puede que en un momento dado nos cogiésemos por los hombros pero tuviéramos que dejarlo al instante por miedo a romper a llorar. Aquella mañana, en ese recorrido hasta la plaza de la iglesia, estaba aprendiendo una de las soledades más amargas de mi colección.

Su tía nos abrió la puerta, nos despeinó, nos mojó la cara, nos preguntó por toda la familia, subió cojeando a por unas pastas, volvió a bajar y finalmente supimos que Silvia no podría venir este año, había suspendido tres o cuatro asignaturas y su padre la había matriculado en una academia durante todo el verano. Salimos a la calle, repartimos, como hacíamos siempre, todas aquellas galletas con los perros que había tumbados a la sombra, y regresamos corriendo a la Peña de los Moros. No tardamos ni cinco minutos en volver a ser los mismos y hacer todo tipo de planes y silbar a coro nuestra vieja canción de los marineros. Juraría además que fue ese mismo día, al atardecer, cuando desenterramos juntos, allá arriba en la peña, una bitácora cubierta de escaramujo.

El principio de la continuación

Antonio Álamo

Ya no podíamos seguir engañándonos de ese modo: un día, al atardecer, nos sentamos en el cuarto de estar, frente a frente, en diferentes sillones, y nos preparamos a examinar la situación, en qué punto nos hallábamos, de dónde habíamos partido y, principalmente, hacia qué lugar nos dirigíamos, y todo ello motivado porque la noche anterior habíamos sostenido una fuerte discusión, lo que no tendría la mayor importancia siempre y cuando olvidáramos que los altercados eran cada vez más frecuentes, cada vez más numerosos, cada vez más violentos y absurdos, por lo que aquella noche terminamos diciéndonos: «Mañana lo resolveremos», y llegó mañana y nos sentamos tal y como ya he dicho hace un momento, frente a frente, en diferentes sillones, mirándonos a los ojos, hablamos: y tan sólo tres horas después concluimos que ya no había motivos para albergar esperanzas ni tampoco nada que ocultar, más aún, no tardamos en descubrir que todo, desde el principio, había sido una lamentable equivocación, podía considerarse como un gran malentendido, un

error, y en efecto, por la lista de sucesos, acciones y pensamientos que mutuamente nos ofrecimos uno al otro, datándolos, preocupados de distinguir lo anterior de lo posterior, conexionando con precisión casi matemática los golpes y las heridas, pudimos vislumbrar de dónde partían nuestros males del mismo modo que con la mayor honestidad creíamos saber dónde todo finalizaría, muy próximamente, acaso esa misma noche; pero tras una investigación más rigurosa, diez días más tarde, en la cual no sólo registramos los pensamientos y las intenciones sino que también interrogamos a nuestros sentimientos, y a lo que se ocultaba debajo de los sentimientos, que era horrible, nos lo dijimos uno al otro, se nos hizo evidente que habíamos alimentado esperanzas durante más días de la cuenta, que habíamos esperado en vano, por lo que esa noche nos acostamos algo amargados, con mal sabor de boca y más temprano de lo que era habitual en nosotros, prometiéndonos por último terminar la conversación al día siguiente, aunque no fue hasta seis días después, en cierta velada en la que tomábamos café negro, cuando al fin nos confirmamos uno al otro el mismo punto de vista, según el cual, nuestra convivencia había recorrido durante un tiempo la autopista de la felicidad, pero de alguna manera la habíamos agotado, y ahora andábamos por un camino de cabras con las botas llenas de piedrecitas, eso que le sucede a tantas parejas, eso que increíblemente nos había sucedido también a nosotros, y la enfermedad, que así fue como estuvimos llamando a nuestra insatisfacción, puesto que como ya he dicho nuestros argumentos y perspectivas eran coincidentes,

la enfermedad se extendía en todas direcciones y aún más velozmente de lo que cabría imaginar que fuera posible, viciando cada uno de nuestros actos, incluso los más leves, desde el primer beso hasta la última caricia todo estaba como enfermo, ¿es que ya no había nada que pudiéramos hacer por nosotros?, sí, y supimos verlo y aceptarlo de esta manera: primero, que ya no éramos felices uno al lado del otro, o como más exactamente nos dijimos, que una vez que habíamos devorado nuestra porción de felicidad ya sólo nos restaban unas pocas migas y no merecía la pena andarse con desgracias por tan poca cosa; segundo, que él no olvidaría y que yo tampoco podía olvidar, lo que a fin de cuentas era tanto como decir que nos hallábamos en manos de la memoria, lo que nos abocaría a un silencio atroz; y tercero, que la única vía libre era que nos separásemos definitivamente, dicho lo cual, que resultaba tan breve de decir, mirándonos ya sin ningún asombro, tras apurar nuestros vasos de café negro y aplastar colillas en un mismo cenicero, nos dimos las buenas noches, y cuando después de media hora, o quizá algo más, ninguno de los dos lográbamos conciliar el sueño aunque simuláramos dormir cerrando los ojos al otro, escuché desde la inagotable oscuridad su voz que me decía si no sería más conveniente, al menos como solución alternativa, separarnos tan sólo un mes, o dos meses, y procurar luego una reconciliación, o incluso, y esa era la segunda parte de su descabellada proposición, empezando como empezamos, esto es, saliendo juntos por las tardes y sólo eso, a lo que yo sin dudarlo un instante respondí que sí, y nos abrazamos, nos mor-

dimos y arañamos, terminó haciéndome el amor como si verdaderamente quisiera exterminarme: y por esto vimos, y era la última claridad que nos quedaba por ver en mucho tiempo, que todas nuestras averiguaciones, exámenes y descubrimientos no eran más que un engaño concertado, que no íbamos a separarnos ni siquiera una noche, y que nos amábamos, nos amábamos más que nada en el mundo y sólo de pensarlo se nos ponían las carnes de gallina.

Cubriré de flores tu palidez

Eloy Tizón

Me pregunto quién inventó el corazón humano.
Dímelo, y muéstrame el lugar donde lo ahorcaron.

Durrell

Existe una relación entre la prostitución y las flores.

Desde el siglo XVI, las mujeres que decidían abandonar el burdel e instalarse por su cuenta, clavaban en la puerta de su casa, a modo de reclamo, un ramo de flores –de donde el calificativo de rameras para designar todo su oficio.

Los sexos son pétalos o tallos. Hay toda una teoría de acuario para explicar por qué respiran como plantas circundados de humedad los sexos, flores. Sexo es subsuelo.

La muchacha de palidez suicida lleva un vestido de flores estampadas, con un escote cuadrado, grandes ramos de color de sangre antigua. Se entiende que es un vestido que no le sienta, que le cae mal con los

hombros, que no pega con la decoración de este sitio. Y este sitio es: una cafetería neutra con las mesas blancas barnizadas y una barra de plástico que se pierde y en las paredes óleos que en el fondo son fotografías convencionales de copas de helado y hamburguesas o refrescos y en lugar de la firma del artista pues el precio de la consumición en pesetas.

Soy un pobre historiador sin alumnado al que su esposa niega el derecho a volver a casa siquiera por esta noche, por Dios, Amelia, está nevando, por esta noche siquiera. La muchacha de palidez suicida se acaricia los tobillos en la barra, un gesto del oficio, supongo, espero, qué puedo saber yo con mi álbum de etimologías. Mis queridas disecciones. La luz que se derrama en el local le cae toda sobre la cara, el carmín extenuado de la boca, no importa, acumular descripciones. De modo que mi esposa estrujó la ropa en la maleta, camisas, necesitarás camisas, y me dio la maleta, la buena, la de fuertes correas para largos veraneos muertos, ojalá se destrocen las correas. Ahora estoy en la acera de la urbanización, sin cama y sin alumnos, con la flamante maleta odiosa bajo la ventisca.

Y nada explica por qué me fascina tanto la muchacha de palidez suicida en este local que va quedándose vacío, ya pronto cierran, y existe una relación entre la prostitución y las flores. Los camareros aguantan el peso del cuerpo sobre el pie izquierdo, después sobre el derecho. Es la hora en que los sexos se abren como llagas que se abren como libros de Historia que se abren como plantas que respiran como sexos.

Mi esposa cree en los ovnis.

Y más tarde, en el siglo XVIII, las cortesanas francesas acudían a Versalles peinadas con unos tocados tan exageradamente altos que se veían obligadas a viajar de rodillas en el interior de los carruajes. Toda una metáfora, no les parece. Verse arrojado solo en la nieve con un puñado de camisas arrugadas, eso es la Historia.

La muchacha ojerosa de la barra yo creo que debe de estar fatigada. Menuda vida. Todo el día moviendo las caderas por el drugstore y el hilo musical sonando sin interrupción en su cabeza. El flequillo charolado le cae pesadamente, y una red de sombras azules se expande bajo las pestañas postizas. Parece japonesa o algo, nipona. Y ese cuello blanco de fábula que no sé por qué imagino rodeado de velas, cirios, un altar de vulgaridad y belleza.

Así que entré en el taxi cuando más arreciaba y le dije al conductor, oiga lléveme al centro, estuve hablando sin parar porque yo otra cosa no pero hablar sí hablo, y así entreteniéndole logré distraerle y cuando pagué pues me bajé a toda prisa y respiré aliviado. Me libré de la maleta.

Todavía debe de estar dando vueltas por ahí con la maleta atrás. Las camisas de mi esposa. La de las correas buenas.

Dedicatoria: dedico el presente tratado a mis amados discípulos sin los cuales me hubiera sido imposible concebir mi teoría dialéctica de las causas paralelas, aplicada a las revueltas del 98. Para lo que te sirvió el tratado. Ahí estará en un cajón de la cómoda, pudriéndose. En la cómoda de ella. Inédito.

De forma que una vez sin la maleta busqué una cabina telefónica en la noche para hablar con mi esposa,

por Dios, Amelia, sé razonable, pero el caso es que ella había conectado el contestador automático y sólo pude escuchar mi propia voz saludándome muy amable y diciendo el profesor y su esposa han salido, si desea dejar algún mensaje: no sé, por primera vez me sentí tan raro, tan desvalido y raro a esas horas hablando conmigo mismo mientras graniza.

Yo qué quieren que les diga, ya sé que soy un poco así, como cursi, nadie tiene la culpa. El mundo aúlla por amor mientras se destroza. Y qué quieren que haga si me quedo mal para todo el día cuando veo pasar por la calle uno de esos autobuses especiales llenos de retrasados mentales agitándose en los asientos o manoteando sobre los cristales. Algo central en mí resulta lastimado. Si no me queda más remedio, puedo volver y dormir en la cabina.

No puedo más. Escucho el bramido del mar en el pasado y la sed de miles de corazones que también braman, ellos. Porque el corazón no tiene domingos. Al menos eso se sabe. No hay domingos para el corazón traumatizado.

Se ha quedado vacío el local con sus tulipas de luces granizadas y me parece que hasta con una cornamenta de ciervo colgada como adorno encima de la hilera de botellas. Es un sitio amplio, no crean, brillante como un salón para bodas y bautizos. La muchacha de las flores se ha puesto en pie sobre sus tacones de plataforma, alisa su vestido verde pálido increíble. Ahora estamos solos los dos excluidos con la nieve alrededor, el erudito y la ramera.

La muchacha saca por última vez un espejito del bolso y devora sus facciones, el exterminio del rímel. Al

echarse el pelo hacia atrás, entonces lo vi: las cicatrices de los cortes en sus muñecas, todas llenas de heridas todavía recientes. Una carnicería de rojos sobre la piel muy blanca.

De modo que ya saben: vine para hacer un relato sobre nada. La muchacha es nada. Dentro de unas horas es posible que amanezca. Mi esposa se despertará sola en la cama. Un taxista descubrirá extrañado una maleta. Yo cierro los ojos para no ver a la muchacha, no puedo con las ganas de estrechar sus manos.

COPIA EN BLANCO Y NEGRO

Santiago Sylvester

a Pepe Avello
a Milagros

Una mañana excelente para caminar, por lo tanto también para hacer cualquier cosa que no sea escribir las cuatro o cinco páginas diarias que me he impuesto como un galeote de la era moderna. La novela avanza poco y mal; como diría Balzac, no sé con quién casar a Eugenia Grandet. La duda, en su versión literaria, me expulsa siempre a la calle aunque amenace lluvia; por entre las hojas amarillentas de los árboles veo que tampoco el cielo se decide, hay filones de sol entre las nubes negras, hasta el cielo duda, un consuelo para un dudante metódico. –Tiene unas ojeras enormes –me dice mi vecina; su instinto maternal es invencible–. Trabaja demasiado –y tiene razón, aunque sería largo, y seguramente inútil, confiarle que, al menos hoy, con resultado lamentable. Le doy una respuesta deliberadamente ambigua y me despido después de prometerle (promesa que, aunque no lo sabe, exige) que alguna vez dormiré bien, seré feliz, tendré unos hijos maravillosos y, como un escritor victoriano, me dedicaré a mimar gatos frente a una chimenea apacible. Escucho su voz de madre

voluntariosa que sabrá sacar adelante a sus hijos: –Lleve paraguas, va a llover –pero ya he llegado a la esquina y me pierdo sin rumbo conocido. Los automóviles pasan tranquilos y casi en silencio, como si tampoco ellos fueran a ninguna parte; un efecto acogedor de las calles arboladas. Hasta es posible que un peatón salude a otro, se interese por un pariente enfermo o recomiende las verduras de un vendedor ambulante; mientras tanto, por las ventanas abiertas salen los ruidos domésticos de la mañana, alguien acomoda las sillas, barre el dormitorio o alborota como un canario trágico porque se le ha rebalsado la leche. En cambio, cuando llego a Santa Fe, la ciudad se me echa encima, urgencias bancarias, documentos protestados, automóviles ávidos por el primer puesto y gente con el descontrol en la mirada. La ciudad se divide en calles arboladas y avenidas, aunque tengan árboles; una consideración tan simple que es increíble que el urbanismo contemporáneo no tenga en cuenta. Si sólo existieran calles arboladas, no habría ruidos inútiles, ni deudas perentorias, ni cuentas de teléfono, ni la necesidad de escribir cinco páginas diarias. Y, sin embargo, Santa Fe me encanta. Soy, como se dice, un animal urbano, y por lo tanto desconsiderado; por eso me siento solidario con esta gente que, como yo, corre, se empuja, se siente desdichada porque pierde el tren y cubre con anteojos negros su carga de desencuentros, púdicos anteojos negros sobre los que cualquier psicólogo social podría acumular conclusiones.

Desde una perspectiva reposada, y hasta cierto punto irresponsable, la avenida se mueve más de lo debido;

y sin embargo la expresión «vértigo urbano» me parece un puro esteticismo, un voyeurismo en pantuflas que, lógicamente, no tiene nada de simpático. Sólo hay vértigo urbano para el que está quieto en la orilla, mirando un remolino que no le concierne en absoluto.

Todo esto me concierne; y hasta ese señor con portafolios que se cuelga de un colectivo en marcha podría conmoverme, si no fuera que hoy, por puro espíritu de contradicción me siento inabordable.

Acabo de comprar el diario, un rápido trueque de dinero por papel fungible, y retomo la marcha con el propósito de entrar en un café, informarme de cómo va el mundo –hacia dónde va ya es otra cosa, y requiere otras lecturas– y volver a aquellas cinco páginas que machaconamente me reclaman. Y lo que ocurre, en cambio, es que me encuentro con Juanito.

No he sabido nada de él en los últimos veinte años; de modo que cuando alguien me toma del brazo y me hace girar a pesar mío, sólo veo una sonrisa que divide en dos a un rostro satisfecho, enmarcado por patillas renegridas, que termina hacia arriba en la punta ridícula de un sombrero; cuando se lo quita, muestra una calvicie rotunda, de esas que desinflan a cualquier peluquero. Se alisa la corbata, ancha, de colores giratorios, y se queda esperando mi reacción, con los brazos colgando a ambos lados, a punto de un abrazo estruendoso; pero no me recuerda a nadie sino a un ave cebada cuyo destino es la cena de fin de año, gorda, lustrosa y en posición de vuelo. Se ríe a carcajadas y retrocede un paso, está feliz; me ve desorientado y esto le divierte, no quiere ayudarme; de pronto hace un gesto que

conozco y es como una rendija por la que se cuela el resto, este hombre que se golpea los muslos mientras descarga explosiones por la boca es aquel mallorquín tan tímido que sólo lograba una existencia indefensa. Me aplasta contra el pecho varias veces, se cerciora de que estoy aquí, y me hace tantas preguntas a la vez que termino proponiéndole un paseo.

A medida que avanzamos me cuenta su vida; y resulta difícil saltar veinte años para llegar hasta aquí, Santa Fe casi esquina Pueyrredón, cuando el cielo duda en resolverse y los semáforos van derecho a su trabajo. Ninguno de los dos tiene relación con aquellos otros que alguna vez, hace veinte años, se conocieron; ni yo soy el estudiante promisorio ni Juanito se parece en nada al empleado apocado del restaurante de su tío; aquí van, en todo caso, el coleccionista de fracasos y este hombre que adquiere con facilidad un andar solemne, aunque ruidoso. Comienzan a caer algunas gotas y lo mejor es entrar en un café; elegimos una mesa junto a la ventana, pero no nos dejamos ganar por la melancolía de una lluvia más bien inoportuna que agolpa gente frente a los escaparates. Juanito encarga un cóctel pomposo indicando con sabiduría ingredientes y proporciones; champán, vodka, clara de huevo, limón sutil y alguna otra cosa; un aspecto de mundanidad que no deja de admirarme.

–Tenemos que festejarlo –dice–. Por el reencuentro –y al primer sorbo ya estoy dispuesto a aceptar lo que me eche el destino.

Cuando lo conocí, yo vivía en una pensión pobre y promiscua de la calle Azcuénaga; normalmente comía

en un restaurante cuyo nombre, *Mallorca*, no era de ningún modo imaginativo sino una declaración de procedencia de sus dueños. Siete u ocho mesas ordenadas según lo razonable era todo lo que había, además de una jaula con dos canarios colgada de la pared y ese olor a fritanga que acogía a obreros de la construcción por la mañana, y, por la noche, a estudiantes, carbonarios y gente desocupada cuya única obsesión era cambiar el mundo, o la vida, como exigía alguien con mayor rigor y menores posibilidades. Juanito, recién llegado de su isla, trabajaba allí, aunque era evidente que tenía otros proyectos; ahora me cuenta que es dueño de cuatro restaurantes cuyos nombres son unánimemente *Don Quijote,* y entiendo que los ha cumplido de sobra. A mi vez, sospecho que tanto el mundo como la vida, aunque tan distintos desde entonces, siguen siendo los mismos.

No puedo dejar de mirar sus manos carnosas y pulcras, sin el menor asomo de laboriosidad, y deduzco que le molestaría saber que yo no podía imaginarlo sin aquel delantal dudosamente blanco atado al cuello y un repasador en la mano, circulando entre las mesas y volviendo a cada paso, o mejor dicho a cada grito de su tío, a la cocina. Ahora actúa con confianza, y mientras ordena «otra vuelta de lo mismo» hace girar su mano obsequiosa sobre la mesa. Lo vi por primera vez una noche en que el humo nos impidió entrar al restaurante; no sé qué atasco en la chimenea había ocasionado una catástrofe; su tío, con la camisa arremangada hasta el codo y el pelo enloquecido, sostenía la jaula de los canarios mientras gritaba explicaciones centrífugas en la puerta; sin el menor sometimiento

a la cortesía, ponía en duda las posibilidades de prosperar en un país como este, en el que hasta el humo equivoca su destino. –Imagínese usted –exclamaba–. Así es imposible; cada dos días un follón, lo mejor es cerrar y que trabaje otro. ¡A ver ...! –luego de un instante en el que sólo cabía su desdicha y el gorgeo de algún canario, comenzaba de nuevo–: Dígame usted... –Juanito, con aquel delantal colgado al cuello, entraba y salía del restaurante cumpliendo órdenes familiares; se cubría la boca con la mano y agitaba el repasador abriéndose camino a través del humo. Después llegaron los bomberos, este principio de eficacia nacional calmó a su tío. Fue un tema de conversación que duró varios días, de modo que nuestra primera charla versó, con toda seguridad, sobre una chimenea atascada; la segunda, sobre Mallorca.

Estábamos comiendo una noche particularmente activa en el restaurante; alguien había aprobado una materia; todos estudiantes, con la alegría contagiosa de saber que el éxito nos pertenecía de pleno derecho por el único y atendible motivo de tener toda la vida por delante. Después de comer invitamos a Juanito a que se sentara con nosotros, y no nos fue difícil advertir una nueva perspectiva de su azoramiento: no dejó ni un solo instante de hablar de su remota isla. Tenía tal voluntad de asombrarnos que desmesuraba datos geográficos, heroísmos locales y efectos beneficiosos de cuanto ocurría en ella; pero no había engaño en lo que decía sino necesidad de confidencia. Sus afirmaciones demostraban que no estaba al tanto de las ambigüedades, y, como tampoco manejaba ideas abstractas,

su relato resultó ser una tediosa sucesión de hechos; su vida al detalle. –Hasta que mi tío me hizo venir, y aquí estoy –pero la candidez de su historia concluyó de pronto y en voz baja–: Le estoy pagando el billete con trabajo. –Después de un momento en el que sólo pudimos miramos de reojo, le pedimos que continuara hablándonos de su isla. No le pareció inadecuado, sin embargo; estaba absorto en la contemplación de aquellas olas que le mecían el alma, largas olas que subían por la costa, abandonaban su filamento de espuma y volvían al Mediterráneo con la misma suavidad con que lo arrastraban a él rumbo a su infancia. –Son unas playas grandísimas. Van como de aquí hasta la calle Billinghurst –y en el acto se levantó a buscar unas postales que había recibido hacía poco de su casa, vistas panorámicas de esas playas que se mostraban minuciosamente cubiertas de sol y de gente, en proporciones parecidas, pero de ningún modo enormes. Sin embargo, no aceptó ninguna objeción: –Llegan hasta la mitad del mar –un sentido lógico, una obstinación casi invencible en la que encuentro la razón de por qué ahora hay cuatro restaurantes en la mano que entonces sólo sostenía un repasador.

Ya hemos terminado el tercer cóctel y, al parecer, el cielo ha vuelto a su prudente duda. Sacude su brazo izquierdo, como si quisiera librarse de los dedos de la mano, y aparece un aparato alarmante en su muñeca, un Rolex infalible, me informa con displicencia. Es la una y media, y me anuncia que de ninguna manera aceptará que no almuerce con él. Tampoco acepta que pague los cócteles.

–Mi parte alícuota –insisto.

–Esa es palabra de escritor –se ríe. Yo quisiera explicarle que es una palabra horrible que a ningún escritor se le ocurriría usar, pero sé reconocer un directo a la mandíbula; como sencillo homenaje no digo nada. Paga él.

–¿Seguís escribiendo? –es extraño: no sólo ya no habla de «tú» sino que sólo en alguna zeta errática, que a veces se asienta donde no debe, se podría rastrear su origen. Ha cambiado las calas de Mallorca por el agua espesa ítalo-galaica del Río de la Plata.

–Sí –no quiero entrar en detalles.

–Entonces tengo que contarte una historia. Tal vez te sirva para algo –y me guiña un ojo en el mejor estilo local.

De nuevo por Santa Fe. Las calles mojadas dan lustre a las nubes que se apelotonan sin saber qué hacer. La gente camina ahora con indolencia, la brisa fresca se ha llevado lejos esa inminencia de catástrofe que tiene una ciudad en movimiento, nada ofende al buen tono, ninguna dificultad imprevista mientras hago conjeturas sobre el curso del planeta. Hasta el sol colabora colándose por donde puede, pero no llega a engañarme y no saco ninguna conclusión definitiva.

Juanito se mira furtivamente en las vidrieras y, por lo visto, está conforme; ensaya una manera de bambolear el cuerpo que me recuerda nuevamente a la cena de fin de año, y habla en voz alta. En la esquina de Junín, la Cruz Roja ha instalado un puesto de evidentes intenciones; un grupo de adolescentes interrumpe el paso con simpáticas maneras que no llegan a disimular

el hecho de que cada uno porta una alcancía en sus manos; más bien lo resalta. Propongo cruzar de vereda, apurar el paso, hacer algo; pero Juanito, magnífico, me tranquiliza, hunde su mano en el bolsillo interior del saco, elige sin improvisación un billete mediano y lo hace desaparecer en la ranura que una chica preciosa, un ángel implacable que aún ignora su poder, le ofrece de inmediato.

–Esto es por mí y por mi amigo –devuelve su billetera al bolsillo del corazón, el ángel de la guarda nos abandona sonriendo y yo protejo mi orgullo disminuido cambiando de tema.

–¿Qué día es hoy? –sé perfectamente que es un día cualquiera, pero finjo ignorarlo; es todo lo que se me ocurre, pongo cara de estar interesado y no llego a sentirme tonto.

–Jueves 21 de marzo –sólo falta incluir el santoral del día y una noticia meteorológica en la respuesta. Y así, con esta conversación tan apropiada para nuestra tarea, llegamos a Río Bamba; entonces Juanito extiende su brazo, una ilustración retórica del cruce de los Andes, y dice señalando hacia la acera de enfrente: –Ahí, un puchero de gallina–. Acepto, esperamos el semáforo a favor, y nos perdemos en el *Río Bamba*, otro restaurante con nombre imaginativo.

El mozo ya ha tomado nota de nuestro pedido; mientras esperamos, Juanito abandona esa seguridad más bien molesta y me mira con cautela, aunque tal vez sólo sea que siente placer por el misterio. Detrás de él hay una columna modernista, sostiene un par de globos blancos que iluminan moderadamente nuestra zona;

y tal vez por efecto de esa luz, Juanito es un inmenso protoplasma que no llega a derramarse sobre la mesa gracias a que la corbata lo sujeta por el cuello. Quiere desorientarme: –Tengo una sorpresa para vos.

Se mueve con parsimonia, no deja de mirarme mientras saca la billetera y la asienta en la mesa, una forma de suspenso que prolonga deliberadamente mientras se pasa la servilleta por la boca, el sigilo del cazador en una versión que comienza a interesarme. Por fin se resuelve y extrae una fotografía; es evidente su apremio emocional, que controla sólo a medias; me hace pensar que durante todo el tiempo ha estado esperando este momento. Se trata de una foto amarillenta, ese color afligente de las fotografías de los cementerios, enmarcadas por recordatorios que dicen «Nunca te olvidamos» o «Tu fiel esposa». Una mujer joven, apoyada en una barandilla de hierro, tal vez una terraza, mira a la cámara con una confusa seguridad en sí misma; la confusión proviene de esa mano levantada como una rápida indicación al fotógrafo para que no saque la foto.

–Es Mabel –dice. Una aclaración innecesaria; ya lo sé. Y a pesar de los ruidos del comedor, de la mezcla espúrea de olores a comida, a pesar de Juanito (no puede adivinar que en este momento está de más), y a pesar lógicamente de mí mismo, siento la ternura involuntaria de recordar al que alguna vez he sido; fragmentos que ya no perduran. Una pensión promiscua y pobre que apenas sé si existió.

Juanito ha acertado, esta foto es una sorpresa para mí. Casi ni vale la pena disimular el efecto que me cau-

sa, al fin de cuentas él nos vio llegar una y otra noche al restaurante de su tío, y hasta sospecho, por una diligencia especial en atendernos, que él sentía hacia ella alguna forma de enamoramiento. Esto lo convirtió en un testigo privilegiado de nuestros desencuentros, un palco avancé hacia un escenario de lo más mudable.

El día que Mabel llegó a vivir a la pensión (creo que llegó ese día) yo estaba cumpliendo el encierro forzoso que imponen los exámenes. Para llegar hasta mi cuarto había que subir por una escalerilla de latón que también llevaba a la terraza, de modo que por mi puerta había un tránsito continuo e irritante de gente que iba a tomar sol, a colgar ropa o, como Marcos, el forzudo de la casa, a levantar pesas. Sin embargo, no hubiera cambiado mi cuarto por ningún otro, tenía un halo romántico que le venía, seguramente, de su precariedad; y mi fantasía tan equivocada como ingenua lo emparentaba con la buhardilla del poeta. Una ventana pequeña lo abastecía de la luz necesaria, estaba casi siempre cerrada para que el viento no desordenara los papeles que se distribuían por todas partes, y en la pared caleada yo había colgado una biblioteca demasiado holgada para mis pocos libros; una pobreza digna y poblada de leyendas. Allí estaba yo escuchando el concierto de la tarde, que llegaba directamente desde el Teatro San Martín gracias a la técnica anticuada, pero suficiente, de una vieja radio heredada de alguien, un cajón oscuro que se imponía por sobre cualquier otro detalle de la decoración. A esa radio le debo la preservación de un sentido estético, tenía música de fondo en lugar de los gritos de doña Emilia, la dueña de la

pensión, que tal vez a causa de sus pies doloridos insultaba alternativamente a Yoli, su hija, y a un gato odioso que también me odiaba. Estaba sentado de espaldas a la puerta, frente al atril, abstraído por la música y por ese estado de indeterminación (más o menos en eso consistía mi vida) en el que uno espera el cumplimiento de ciertos sueños, aunque existe la sospecha de que si efectivamente se cumplieran no sabríamos qué hacer con ellos. Tal vez ni los reconoceríamos. De pronto sentí un murmullo a mis espaldas; Yoli, con su sonrisa tonta, y otra chica a la que ni siquiera vi, cuchicheaban sobre algo que obviamente me implicaba; me levanté furioso y cerré la puerta en sus narices. Esa otra chica era Mabel.

Un lugar común en el que ya nadie cree, dice que hay que empezar por el principio. El problema consiste en saber dónde está el principio de algo, y, tratándose de una historia en la que uno mismo está complicado, existe el peligro de pensar que todo viene de tan lejos que al llegar a los hechos ya estarían deformados por el aburrimiento. En este caso el problema se resuelve con facilidad: mi relación con Mabel comenzó en el momento en que le di ese portazo en plena cara. Yoli me tenía sin cuidado; era tonta y, como creía equivocadamente entonces, sólo tenía sus abúlicos ojos para mirar al forzudo de la casa. Pero esa otra chica, de la que sólo recordaba una blusa azul abotonada hasta el cuello, casi una mancha sin dueño, comenzó a interesarme apenas estuve de nuevo frente al atril; había estado espiándome, por lo menos hablando de mí, y esto estimulaba un principio de vanidad que

me resulta francamente satisfactorio y, por lo tanto, incorregible.

Volví a verla recién al día siguiente; había aprobado aquel examen y sentía que la historia universal (y sobre todo yo, su protagonista) había tenido un cambio notable. La blusa azul, delicada como su dueña, estaba recostada en el sillón del hall, mientras ella leía una revista; sin apariencia de banalidad, se detenía en las horribles fotografías de un casamiento famoso. Sus piernas, ajustadas por un pantalón también azul, estaban tiradas a la bartola: la una, cruzada sobre el brazo del sillón, terminaba en una sandalia negra; y la otra, en el suelo, concluía a dos metros en unos dedos flacos que se movían con habilidad, como si recorrieran un teclado. Pensé en el acto que le debía una explicación: –Quiero disculparme por lo de ayer; he estado grosero, y me siento francamente mal –pero no hizo la menor intención de escucharme, de modo que me sentí peor. Ya no podía retirarme sin un grave deterioro moral, así que ataqué frontalmente, con riesgo para la tropa y modulación de voz: –¿Quién sos?

Sin cambiar la posición de la cabeza levantó los ojos, una teatralización magistral del desprecio: –No me haga usted preguntas con el verbo ser –y volvió a las noticias sobre la boda. Así supe que debía andar despacio.

Por un milagro, había comprado en una librería *La educación sentimental*; llevaba el libro, todavía envuelto, en el bolsillo. Otro milagro fue que no haya perdido la serenidad. Hice un gesto de aceptar el golpe y rápidamente, en un mismo acto, saqué el libro, lo

asenté sobre el respaldo del sillón y dije: –¡Bravo!, pero le recomiendo que cuide sus lecturas. Le he traído un regalo –y me alejé de allí como si tuviera todas las luces sobre mí. Al llegar a la escalera me volví; sólo había movido los ojos siguiendo mi desplazamiento; hasta los dedos del pie, inmóviles sobre el teclado, me miraban alertas.

–Es la pipa de la paz –y subía corriendo–, agradeciendo con toda el alma a Flaubert.

A los dos o tres días recibí su visita en mi cuarto. Tenía la radio puesta a toda marcha, pero esta vez me cuidé muy bien de no dejarme aconsejar por mi melomanía. Traía el libro en la mano.

–¿No interrumpo al señor escritor? –me dejó cortado.

–No, en absoluto, para nada –y hubiera seguido así, diciendo negativas, si ella, para abreviar, no hubiera entrado a mi cuarto con esa naturalidad tan meditada; le ofrecí el silloncito de mimbre deshilachado, el único asiento, y allí se sentó con su manera despatarrada, un triunfo del sentido práctico. Bajé el volumen de la radio y me senté en la cama, un poco aturdido por este mundo tan lleno de incógnitas.

Supongo que te parecerá un descaro esta nueva irrupción. –Volví a negar enfáticamente–. Sólo quiero agradecerte el regalo y me voy en seguida.

–¿Ya lo has leído? –una pregunta tonta, tal vez porque las palabras sólo son una exteriorización de nuestra impaciencia.

–Hace diez años; lamento que hayas llegado tarde. De todas formas, te prometo que lo volveré a leer.

–No es necesario, te lo he regalado para disculparme. Reconozco mi grosería y sobre todo...

Me indicó con la mano que eso era asunto concluido: –Yo también me respeto mis propias manías, así que te entiendo –miró el libro que tenía en la mano–. Flaubert... ¿Por qué escribís? –me dio la impresión de que no creía en ninguna respuesta.

Difícilmente se me notaba en la cara mi condición de escritor, y la miré prevenido.

–Yoli –dijo–. Ya me contó todo lo que hace cada uno de los habitantes de esta lujosa villa. A vos te admira.

–Para decirlo de un modo sutil ¿no? –le pareció un comentario razonable y lo reconoció con un guiño maligno, una especie de contraseña.

Mabel fue, según recuerdo, la primera persona que, en lugar de demostrar una ternura admirativa por este aspecto tan emocionante de mi personalidad, prefirió una pregunta escéptica. Por supuesto, yo tenía preparada una respuesta para un caso así, elaborada en horas de estupor en las que yo también me preguntaba lo mismo. Prendí un cigarrillo y comencé, con la menor pedantería que pude, simulando una improvisación: –Esa es una pregunta que está condenada a quedar sin respuesta; no porque sea imposible contestarla, de hecho es una de las preguntas que más respuestas ha tenido, sino porque ya está demostrado que todas han sido inútiles o, por lo menos, insuficientes.

Me pidió que le alcanzara un cigarrillo, de donde deduje que la tenía interesada, un buen dato. Apagué la radio pero ella me pidió que la dejara prendida; Sme-

tana colaboraba inesperadamente, cualquier cambio nos perjudicaba.

–Pertenece al tipo de pregunta enorme. Es como si me preguntaras por qué creo en Dios. O por qué no creo en Dios. La única respuesta lógica es: creo en Dios *porque* existe; o bien, no creo en Dios *porque* no existe. Con lo cual la víbora se muerde la cola y volvemos al punto de partida.

Sacudió el cigarrillo en el cenicero, sin mucha puntería; desplegó una pierna, con lo que pareció desarrollar una idea, y asentó el pie a mi lado, sobre la cama; parecía molesta: –De modo que escribís simplemente por un problema de fe. Más o menos por irresponsable.

No esperaba esta opinión. –Escribo por necesidad. ¿Necesidad de qué?: de escribir. Y la víbora se vuelve a morder la cola. Por eso creo que ese ejemplo vale.

Un largo silencio mientras Smetana concluía su actuación; no estaba convencida en absoluto, fumaba aceleradamente y movía los ojos de una manera curiosa, empeñados en desorientar.

–Demasiado cómodo –dijo finalmente–. Una respuesta sin respuesta –dejó quietos los ojos y me miró, entraba a matar–: Terminarás siendo un esteta de mierda.

Esta fue la única vez que le oí un exabrupto; luego sus ofensas fueron más sutiles. No sé qué cara habré puesto, pero necesitó sacudir la cabeza y sonreír; luego desvió los ojos hacia la ventana.

–Ahora me toca a mí pedir disculpas –parecía arrepentida. El perfil anguloso, demasiado quieto, fijo hacia la ventana, le daba un aire de reserva. Con este sentimiento bajó la mirada hacia la blusa, se sacudió

la ceniza del cigarrillo, y tenía el rostro más apacible de la ciudad cuando se volvió hacia mí–: Prometo portarme bien, hacer los deberes y ayudar a mamá. ¿Me perdonás?

Le dije que sí, pero no fue suficiente: –Quiero que lo jurés. Tenés que perdonarme en serio.

–Lo juro. Por supuesto, lo juro –busqué con la vista algo en la biblioteca, hasta que lo encontré–: Lo juro por Voltaire.

Le pareció bien, pero cuando intenté decirle que la gente escribe por muy diversas razones, y que por lo tanto ambos teníamos razón, ya no me dejó.

–No; basta por hoy. Más de una opinión por día ya es una exageración. Podríamos pasarnos la vida así –meditaba sobre algo, y hasta sacó alguna conclusión que no llegó a mencionar–. No es un mal proyecto.

–Es un proyecto estupendo –sentí la necesidad de hacer algo, y pronto–. Sobre todo ahora que estamos uno a uno, un digno empate –dejé caer como al descuido mi mano en su pie. No lo retiró.

Esa noche comimos juntos por primera vez en el *Mallorca*; Juanito nos recibió con una sonrisa fácil tal vez cómplice; y esa misma noche iniciamos un sistema de convivencia semi-clandestino, incómodo pero el único posible, según el cual unos días ella dormía en mi cuarto, y otros yo en el de ella. Su cuarto estaba en la planta baja, una habitación grande e insípida, prevista para dos personas, aunque ella la alquilaba sola, mejorada a fuerza de flores, habilidad y colgandijos en las paredes; cordones de colores, carteles publicitarios, dos pulóveres viejos con los brazos ensartados en un

abrazo, y varias placas de latón con nombres de calles que, con el tiempo, llegaron a formar una verdadera colección; yo mismo colaboré con una de Cangallo y otra de Plaza Italia.

Lo más difícil era distraer a doña Emilia; escuchaba un novelón por la radio, casi hasta media noche, pero esto mismo hacía más vulnerable su vigilancia. Sospecho que ella conocía nuestros paseos nocturnos, más bien tengo la certeza puesto que ese era el único momento del día en que ocultábamos nuestra vida en común. Pero las apariencias formaban parte de una comedia de decoro que aquella mujer imponía a su manera, con esos rutinarios insultos al gato y a su hija que siempre tenían relación con la honra de ambos; una forma curiosa de predicar conducta, catequesis indirecta que, a pesar de todo, necesitábamos respetar. La complicidad de Yoli, más bien forzada, y basada tanto en el mutuo beneficio (el principio de toda sociedad) como en el odio (que también asocia), fue muy importante. Una tarde la encontré en la puerta de la pensión, me estaba esperando. Llegaba apurado, y mi necesidad de diálogo circulaba siempre en otra dirección, de modo que pasé de largo; pero ella hizo una maniobra exacta, me agarró del brazo, giré hacia ella y me asentó una mano en la solapa; desde la vereda de enfrente, cualquiera hubiera pensado que estábamos a punto de besarnos. Su cara quería ser ingenua, pero me pareció feroz: –A mi mamá no le gustaría saber que te encontrás de noche con Mabel–. Un chantaje.

–Claro que no. Pero menos le gustaría saber que vos lo visitás a Marcos a la misma hora.

Esto era verdad, por supuesto; y aunque me sentí un canalla consideré que era justo, restablecía el equilibrio. Me miró como Atila: –Y eso qué importa –luego, con un inesperado dominio de sus recursos, sonrió–: Es un tonto. Puro músculo –y hasta me pareció que intentaba un gesto de frivolidad que lógicamente se frustró por falta de conocimiento.

–Estoy de acuerdo, lo siento mucho –y seguí hacia adentro con la sensación de haber establecido una alianza duradera. Ya en la escalera, escuché–: Imbécil. –Una opinión interesada, como tantas otras.

Por esa época, Mabel trabajaba en una academia de teatro; ella se esforzaba en explicar que daba clases de expresión escénica, y hasta alguna vez la oí alegrarse por lo bien que le había salido una clase práctica de las teorías de Brecht; pero siempre sospeché que sus tareas allí eran estrictamente administrativas. La fui a buscar una noche que llovía, supuse que no había llevado paraguas y, aunque acerté, no me lo agradeció; su tarea visible era, cuando entré, comprobar la asistencia de los alumnos; su enojo fue exagerado, me acusó de espía, de invadir terreno ajeno, de no respetar ciertas reglas del juego, según las cuales yo no debía pisar nunca esa academia. Terminó por convencerme de que yo tenía razón; una simulación ingenua si se piensa que yo no era ni pensaba ser su alumno, y en cuanto a Bertolt Brecht no necesitaba probarme que lo conocía: ella sabía más que nadie quién era. Esta anécdota, considerada en sí, no tenía ninguna importancia; pero, sumada a otras, me hizo pensar que había organizado en torno a ella un sistema complicado de ficciones, una

vida camuflada en otras vidas que, a la larga, me llevó a la desconfianza. Tal vez sólo eran celos, lamentables celos, pero no propiciaban la armonía. Pienso que ella usaba estos recursos como maniobras de seducción, aunque también es posible que haya terminado por desconocer ese límite impreciso que permite distinguir un par de guantes de una carga de cosacos invadiendo Polonia. Su vida resultaba ser una sucesión fascinante de hechos contradictorios; allí cabía un padre español, coronel del ejército republicano cargado de medallas (las usaba como fichas de póker), una madre alemana, antigua regente de un prostíbulo en Brasil, que terminó su vida en Madrid después de fugarse con un aviador, y un hermano perdido en algún lugar de la tierra, dedicado al contrabando o a alguna otra forma polémica de ganar dinero. Había sido criada por una tía de origen incierto, según ella una amante de su padre, y se había fugado tres veces del hogar paterno, la última para casarse con un abogado cordobés que resultó ser sádico. Luego vivió en una colonia ecologista en Miramar, trabajó en la cosecha de la manzana en Río Negro, hasta que hizo lo que ella describía como su única sensatez: se vino a Buenos Aires y se inscribió en la Facultad de Letras; de esa época tenía el recuerdo de un casto amor del que prefería no hablar. El resto era un puro suspenso, una comedia de confianza en la aventura que sólo terminaba cuando por alguna razón que no llegué a descubrir, se escuchaba una nota insegura en su voz. Para mí se trataba de acumulación fantástica, pero me cuidé muy bien de decírselo especialmente a partir de su enojo por un comentario desafortunado

que hice sobre una de sus historias: –Tendrían que darte un salvoconducto para andar por el mundo–. No lo encontró gracioso; me acusó de provinciano, por lo tanto condenado a la socarronería (ignorancia, según ella), y terminamos brutalmente, con llanto incluido, tapados por una colección de ofensas intelectuales. Estuvimos dos días sin hablarnos.

Yo tendría que haber tomado las cosas como venían, lo reconozco; pero estos reconocimientos tardíos no sólo son inútiles sino tan peligrosos como volver al lugar del crimen; no mejoran los hechos sino que los ponen nuevamente en movimiento, con la perspectiva errónea de que es posible corregirlos. Mi idea general del mundo estaba llena de pensamientos maliciosos; no era posible aislar a Mabel de tal esquema, sobre todo cuando yo encontraba síntomas inquietantes de que quería alejarme de algunas zonas de su vida. Al hecho de que no podía buscarla en la academia se sumaron desapariciones periódicas que se negaba a explicar. Peor aún, me daba explicaciones irritantes como «me fui al Tigre a visitar a una tía» (una tía que no entró nunca en sus historias), o «me encontré con una compañera del colegio» (con la que difícilmente pudo haber pasado una noche entera rememorando osadías), o simplemente se declaraba ofendida por mi desconfianza, con lo que no resolvía el problema sino más bien lo promovía. Debo decir, sin embargo, que en más de una ocasión me asustó, en lugar de enfurecerme. Tenía algunas veces una forma inquietante de mirar, un fondo sin esperanza que me sobrecogía. Guardo escrita por ella misma (le pedí que la escribiera, y me la

regaló con una dedicatoria significativa: «A uno de mis amados verdugos») una frase suya, dicha en circunstancias angustiosas que aclara parcialmente mi temor por Mabel. Había vuelto de uno de esos misterios que la llevaban y yo estaba exponiendo a gritos mis razones; de pronto le vi esa mirada acorralada, un borde peligroso donde su propia destrucción estaba al alcance de su mano, y me dijo (era una respuesta general, referida a casi todo): –¿Sabés por qué escribo yo? –hasta ese momento no había dicho nunca que escribía–. Porque no se puede decir «he sido feliz» sin un exceso de piedad, insoportable, o sin hacer literatura–. La tomé de la mano como a una niña; estuvimos un rato así, aferrados, haciéndonos una silenciosa compañía.

Una noche armamos un escándalo mayúsculo en mi cuarto, una pelea de esas que, usando una expresión de Mabel, anticipan el apocalipsis. Doña Emilia sólo tuvo para esto un silencio vigilante con el que nos hizo saber que conocía mejor que nadie nuestra vida. Ocurrió, más o menos, a los quince días de aquel portazo con el que, sin darme cuenta de lo que hacía, corrí a Yoli y acerqué a Mabel. Después de comer fui a su cuarto, según lo convenido; no estaba, ni volvió en toda la noche, ni tampoco al día siguiente. Esta fue su primera desaparición; después se repitieron con una periodicidad que, en cualquier otro caso, hubiera sido aburrida. Esa noche no dormí, y el día siguiente fue para mí una carrera permanente entre mi cuarto y la calle; un trajín que, si quisiera ser veraz, tendría que describirlo como desesperante. No logré hacer otra cosa en todo el día, ni siquiera la radio me sirvió; un estado oprobioso que

arrastré por esa miserable escalera sin ninguna discreción. Finalmente volvió acompañada por un hombre menudo cuya más notable particularidad era la ausencia de rasgos definidos; un traje marrón gastado, zapatos en la misma línea, y una calvicie precoz (si es que era precoz) que hacía más borroso su rostro; sólo puedo agregar unos anteojos de aro negro que le daban un aire de aflicción intelectual. Se despidieron en la puerta con un casto beso que, sin embargo, no dejé de contabilizar. Entró con una especie de indolencia veraniega en el andar, podría haber contado que volvía de la playa o de la primera comunión de algún sobrino. La arrastré hasta mi cuarto; tuvo que subir saltando por la escalera y hasta creo que perdió un zapato. El portazo que di era una prueba de que exigía una explicación, que no llegó. Estaba pálida pero tranquila; esperaba de mí otra reacción, ignoro cuál. La primera pregunta, no sólo obvia sino que revelaba mi estado, fue por ese tipo que la había acompañado hasta la puerta; obtuve una respuesta alevosa: –Es Arturo –y se quedó mirándome como si me hubiera dado un informe completo sobre los planes del ejército enemigo, el número de sus hombres y su poder ofensivo. No me pareció suficiente de modo que comencé a gritar; dije cuanto me vino a la cabeza, insultos, amenazas, lo de siempre, con tal violencia que se ovilló en el silloncito de mimbre y se quedó allí escondida, sólo quedaron afuera sus ojos fijos esperando el golpe, esa trompada que tampoco llegó y que, sospecho, hubiera sido un alivio para ambos. En cambio, pegué un golpe en la pared y cayó un pedazo de revoque y una docena de libros de la biblioteca; si

la radio hubiera estado prendida la hubiese callado de una patada, un error que sólo hubiera servido para acumular perjuicios. Ella estaba allí, en un rincón, con sus ojos asustados pero libres de impaciencia, como si toda la sabiduría consistiera en esperar. Al fin me calmé, me recosté en la cama con los ojos cerrados y estuve así hasta que dejé de escuchar mis propios gritos, que habían seguido durante un rato rebotando en mi cabeza. Cuando abrí los ojos, la única novedad era que Mabel había prendido un cigarrillo y que sus ojos miraban vagamente hacia el techo; ya estaba fuera de la cueva. Sintió que yo la miraba, entonces se volvió hacia mí; se sonrió sin mover la boca, un enigma, y dijo: –No te preocupés por él, es alguien que está desde hace cuatro años escribiendo una tesis sobre el verbo «purgare».

Mi reacción, cuando pude reaccionar, tuvo un contenido literario que ella, lamentablemente, no pudo apreciar; le hubiera divertido saber que aquella carcajada fue un homenaje a la más maravillosa descripción de ese hombre. Mabel mantuvo su sonrisa inmóvil, apenas alteró la posición del brazo para acercar el cigarrillo a la boca y llenó la habitación de humo. De todas formas, ya estaba terminada la pelea.

Nunca supe quién era aquel hombre; ni tampoco adónde iba Mabel cuando, sin previo aviso, se ausentaba. Simplemente ocurría. Podría haber resuelto de otro modo estas fugas, una nota, un mensaje, cualquier manera razonable de evitar un disgusto; fue inútil pedírselo, y hasta creo que había hecho de esta forma de actuar un principio. Si no hubiera estado Yoli en

la casa me hubiera sentido mejor; esa baja astucia con que nos vigilaba, la manera oblicua de demostrar que estaba al tanto de nuestros desencuentros, me humillaba, sobre todo porque en esos desencuentros yo era el que esperaba.

–Estás loco –me dijo uno de esos días en que, efectivamente, como un loco, subía y bajaba esa maldita escalera; y cometí el error, imperdonable para quien debe mantener una estrategia, de mostrar mi debilidad precisamente a quien estaba esperando verla: –Es cierto, lo que pasa es que nadie se da cuenta y entonces parezco un imbécil–. En ese momento supe que me debía ir de la pensión.

Cuando volvió Mabel, ya tenía todo dispuesto para la mudanza. Le pareció un disparate; quiso convencerme de que no había motivo, pero el motivo había cambiado de dirección y esa misma tarde me fui a vivir con un amigo, no lejos de allí, en un departamento de la calle Viamonte. Seguimos viéndonos durante un tiempo, con más facilidad que hasta entonces, sin necesidad de esos rodeos nocturnos ni el ridículo sentimiento de estar cometiendo una trasgresión; y sólo de vez en cuando me acerqué por la pensión, cuando iba a buscarla para comer en el *Mallorca*, una costumbre que perduró un tiempo hasta que también cesó. De Yoli sólo he vuelto a saber que finalmente se peleó con Marcos, algo nada impresionante salvo que, gracias a la ecuanimidad de Mabel, sucedió de una manera que se podría llamar de lo más civilizada. Marcos estaba harto de Yoli, pero la vieja chantajista lo tenía amenazado con contarle a su madre, la vieja erinia, que él la había

seducido con promesas de esponsales. Ni siquiera doña Emilia lo hubiera creído, pero nadie es como es sino como necesita serlo, de modo que igualmente hubiera armado el lío. Cambios imposibles de vida y algo de resignación cristiana, tenían vencido al levantador de pesas, una trampa laboral sin incentivo erótico, hasta que Mabel le dio la solución: debía llevar a vivir a la pensión a algún amigo y facilitarle un encuentro con Yoli, otro levantador de pesas para que el plan no fracasara por culpa de la nostalgia. Así se hizo, y Marcos quedó libre; de donde se demuestra una vez más que nada se olvida hasta que se reemplaza.

Después llegó el final. Contra todo lo previsto, conociendo los hechos, no fue un final abrupto sino que llegó por desmigajamiento, sin música de Wagner remarcando la catástrofe sino con notas descompensadas que se desconocían entre sí hasta irse de a poco por el resumidero. No es fácil explicar qué cambio se produjo cuando me fui de la pensión, pero a partir de entonces ya todo fue distinto; un desinterés apenas perceptible que, sin embargo, fue ocupando el lugar de cualquier otro proyecto: un juego de sensaciones embotadas que concluyó en aburrimiento sin que a nadie le importase. Algunas señales tendría que haber visto, pero estaba desatento; por ejemplo, cuando Mabel me llamó para suspender un encuentro y yo sentí el alivio de poder terminar una rutinaria partida de cartas; o cuando me olvidé de que vendría y no la esperé, entonces ella, que tampoco me esperó, dejó un mensaje que podría haberme sido revelador, no

sólo divertido: «Las casas huelen a soledad o a familia; prefiero los bares».

Una sentencia casi premonitoria que le gustaba a Mabel (tal vez sacada del horóscopo), aconsejaba: «si quieres una feliz vida amorosa, cuida tu medio ambiente». Pareciera que el marco adecuado para nuestra feliz (¿feliz? ¡qué palabra!) vida amorosa, era aquella pensión pobre y promiscua, con los gritos de doña Emilia, sus pies doloridos, y el oteo insolente de su hija; tal vez todo eso daba un atractivo adicional, un triunfo complicado contra un orden mezquino. Extraña conclusión, es cierto, pero algo falló cuando ya tuvimos todo el día, sin interrupciones ni alarmas, para nosotros; una emoción insulsa.

Mi nuevo cuarto ya no tenía el entrecejo adusto ni la mano apoyada dramáticamente sobre el pecho; nada hacía pensar en la tuberculosis ni en largas caminatas bajo la llovizna con los zapatos rotos; más bien tenía una juventud elocuente, paredes blancas, sábanas decorosas, casi limpias, y estaba lleno de buenas noticias. Sólo la radio mantenía algún vínculo, pero quedaba sofocado por más altos clamores: un *allegro con fuoco*, un *andante con moto*, un *vivace con spirito*, y hasta algún *allegro ma non troppo*, un *poco maestoso*, que no dejaban lugar para ninguna reminiscencia sórdida. Mabel trajo una máscara china, ese dragón tremendo que alardea su furia, y lo colgamos impunemente en la pared mientras nosotros bebíamos a su salud. A su lado puse una lámina tranquila, esa cacería del zorro con la que los ingleses difunden sus costumbres, y en la pared de enfrente, sobre mi mesa de trabajo, colgué la biblioteca que,

en realidad, no había prosperado mucho. Una mezcla despreocupada pero juiciosa. Era un buen escenario; de hecho, lo fue para muchas representaciones que no vienen al caso; pero con Mabel habíamos empezado, sin darnos cuenta, a despedirnos. Ella fue la primera en decirlo, y lo hizo sin errores, con el sentido de orientación que sólo es posible cuando se domina el arte de la ligera sabiduría. Trajo una botella de vino blanco y una bolsa de frutos secos, se sacó los zapatos y se despatarró sobre una silla frente a la ventana; un atardecer perfecto, si no hubiera sido el último que pasamos juntos. Al rato de llegar, después de tomar un vaso de vino y de fumar cinco o seis cigarrillos, decidió que debía darle masajes en la espalda. Esto hubiera sido en cualquier otro caso una rápida estrategia, acortar la distancia que hay entre una silla y una cama; en este fue una forma de ocultarme el rostro cuando me dijo que se iba.

–Estoy harta de Buenos Aires; necesito airearme, tomar leche al pie de la vaca, sentir el olor de la lluvia, darles maíz a las gallinas...

–... y ver cómo crecen las flores, cómo aletean las mariposas, los pajaritos, y cómo cagan las vacas. Emocionante. –Mi mano subía y bajaba por su espalda, recorría la columna vertebral y se hundía debajo del pelo, una maniobra que le envolvía el cuello; después bajaba por los hombros.

–Me vendrá bien. Buen aire, sol, comer con hambre, dormir con sueño, todo eso que uno no hace aquí. Creo que nunca he dejado de ser de campo.

–Te creo, salvo que nunca has sido *de campo*, a menos que me hayás contado la vida de otra mujer como si fuera la tuya.

–Mi vida ha sido larga, sarraceno –estiró un brazo sin premura, un movimiento a la fuerza, o en el fondo del mar, y recogió el paquete de Jockey de la mesa–. He sido de campo y de ciudad, y tal vez por eso ya no sé de dónde soy. Pero no te preocupés que no haré papelones, sé distinguir un chivo de un semáforo. Y aunque te parezca increíble, me quedo con el chivo.

–Y en ese cuadro tan sensible, ¿podrías decirme dónde quepo yo? –detuve la mano en el cuello, esperaba una respuesta.

Ella lo entendió así y se levantó lentamente llevándose mi mano, hasta que ambas se desvincularon; se asomó fumando a la ventana, un encuadre perfecto con el cielo ya oscuro como telón de fondo. Quise besarla, pero me separó.

–Primero dejemos las cosas claras –me sonó como si hubiera hablado un sargento de caballería, pero luego se acercó a la mesa, tomó un sorbo de vino y me miró de una manera totalmente distinta–: No hagamos difíciles las cosas –era casi un ruego.

–Tengo que irme –dijo–. Y he venido porque quiero despedirme. Me parece mal esfumarme como si me hubiera tragado el aire; tal vez más cómodo, pero menos elegante –me pasó una mano por la cara, cuando quise hablar me cerró la boca con dos dedos a modo de pinza–. Sí, ya sé; yo también te quiero, pero de la misma forma que vos a mí; nos queremos como si fuéramos sobrevivientes de nosotros mismos; no sé

qué pasó, pero es así. Y ya no hay cómo recomponer las cosas, hasta creo que ni vale la pena. Cada vez que nos vemos, me acuerdo de esas comidas de camaradería de ex compañeros de colegio: cada uno busca en el otro al que fue, y lógicamente no lo encuentra.

Al pasado no se lo puede resucitar con anécdotas, es un muerto de lo más obstinado; no resucita con nada.

Se rió con una risa tan franca que quitó todo drama a la escena. Habíamos ido quedando insensiblemente a oscuras, prendí la lámpara del escritorio y el golpe de luz aplastó un libro contra el atril; el resto quedó en esa penumbra necesaria, y nosotros en ella, balanceándonos como algas en la corriente oceánica. La biblioteca, a pesar de su escasa representatividad, proyectaba una sombra enorme, ilimitada; en cambio la máscara china parecía achatada en la pared, un músculo vociferante y brutal, pero sin sombra. Mabel se sentó en la cama, un poco envarada, contra todas sus costumbres, y estiró un brazo hacia mí.

–Nos vamos a despedir como buenos amigos –intentaba parecer despreocupada, sólo lo conseguía a medias–. Y a partir de ahora no vamos a tocar más este tema, que sea una despedida alegre. Mañana, cuando me vaya, será como si me fuera para volver en seguida, ¿me has oído? No quiero llantos ni que me hagas la escena de la mujer celosa –le pareció un buen chiste así que me llevó hacia ella y me hizo sentar a su lado–. ¿De acuerdo?

–No. Pero no tengo mas remedio que aceptar. Te has venido con todo un proyecto de vida, y al parecer yo quedo afuera.

–Hay algo de eso –me besó–. Pero te aseguro que es lo mejor. Lo contrario es la muerte.

Supongo que la miré con estupor, pero ella hizo un rápido movimiento y apagó la luz; alcancé a ver una mirada calma, poco tenía que ver con sus palabras. Esto fue lo último que vi de ella; al día siguiente me desperté tarde, ya se había ido. Mabel tenía razón: fue la mejor despedida. No dejó ningún mensaje, casi ningún recuerdo de que había pasado la noche conmigo, salvo un olor especial que todavía reconozco cuando algo, no sé qué, me roza al pasar, y la botella de vino blanco concluida sobre la mesa.

A la semana comencé a saber que realmente no volvería, hasta entonces esperaba que en cualquier momento llegara, feliz con la broma, otra simulación para su inventario, trayendo esa mezcla estimulante de vino blanco y frutos secos, y esa alegría enigmática difícil de encontrar. Fueron siete meses en total, desde un portazo afortunado hasta la despedida. Al tiempo, la volví a ver desde un ómnibus en marcha; una visión fugaz y desconcertante: iba apoyada con formalidad en el brazo del verbo «purgare».

Juanito recoge la fotografía que ha quedado sobre la mesa, la mira como calculando el precio de una carga de mercadería y advierto que siempre mira así; un golpe de ojo en el que nada queda sin su valor, y no es agradable sentir que uno mismo cae en esa tasación general, también producto cuyo destino es un estante detrás del mostrador. Me gustaría saber entre qué lamentables mercancías me amontona cuando dice:

–Tenés un buen aspecto. Un poco flaco, pero ¡hombre! ya no nos cocemos con un solo hervor –y me ofrece una complicidad que me niego a aceptar. Deja la fotografía en la mesa y la golpea varias veces con el índice: –Una buena chica; un poco chiflada pero buena –y espera una respuesta.

Me contengo. Mi primera reacción hubiera sido ponerlo en su sitio, un sitio que (yo también tengo mis estantes) siempre le correspondió. Pero sólo muevo la mano y aparto la fotografía. Creo que entiende y llama al mozo; los restos de un puchero de gallina tienen algo de procacidad aplastada, en un instante desaparecen y Juanito reclama el menú para elegir el postre. Sólo quiero café, él insiste en ofrecerme un coñac. –Esto es un reencuentro, ¿no entendés? ¡Lo estamos festejando! –al fin acepto. El mozo, solemne, recita las marcas de coñac; Juanito elige un Torres, de su tierra, en el supuesto de que su tierra no sea esta todavía. Mientras esperamos, hace aparecer dos puros, me alcanza uno como si me estuviera pasando el martillo; hay algo decaído en el ambiente, varias mesas ya están vacías y, por alguna razón, la luz colabora. Juanito se inclina hacia mí, señala con los ojos la fotografía y me dice en voz baja: –Vivimos juntos un tiempo.

No sé qué decir, salvo que no le creo una palabra; una mentira pretenciosa como su corbata a rayas giratorias. Se estira hacia atrás y lanza un resoplido; sus ojos vagan por la mesa sin posarse en ningún sitio, se alisa la camisa y aparece más rotundo el abdomen, por fin me mira, un flash inseguro que se vuelve a escapar hacia la mesa, resuelve la situación con una risa descolo-

cada que se le cae por falta de ganas. Por un instante ha dejado de ser el propietario de los cuatro restaurantes *Don Quijote* y ha vuelto a tener un repasador en la mano. No me conmueve, sin embargo.

–Más o menos al año de que ustedes se... Bueno, de que dejaran de verse, la encontré en el Scoty's Bar. Una noche caí por ahí; sería por aburrimiento ¿no? –y se ríe, ya seguro, dueño de los cuatro restaurantes.

–¿El Scoty's Bar?

–Un lugar de alterne, por Lavalle y 9 de Julio. Creo que ya no existe. Por lo menos, no para mí. Era un lugar elegante, de «chicas finas»; me llevó un cliente del restaurante de mi tío. Tal vez te acordés de él, se llamaba Miguel Sanjuán, un constructor. Un hombre alto y bebedor, con la cara roja como un diablo. Tenés que haberlo visto; a veces se quedaba hasta tarde, después de cerrar...

Con un gesto le indico que siga, esto es salirse de la cuestión. –Sí señor –prosigue–. Estaba allí. Había una barra larga sobre la derecha, una barra lujosa, de buena madera y con taburetes acolchados; y a la izquierda estaba el escenario donde un violinista tocaba tangos. También había un piano, pero sólo lo oí un par de veces. Don Miguel era conocido allí, se tuteaba con el dueño; los mozos sabían hasta qué tomaba. Bueno, le conocían todos los gustos –se ríe, este hombre se ríe siempre, una risa obscena–. De pronto miro hacia el fondo y descubro una cara conocida ¿quién era? ¡Mabel! Estaba acompañada; después me confesó que se sintió mal al verme. Pensó que te llevaría al Scoty's, pero para entonces hacía bastante tiempo que yo no

sabía nada de vos. Me le acerqué como un idiota, yo era un pibe tierno, sin experiencia. Y claro, me corrió. Esa fue la primera vez que la vi; a la semana volví, ya por mi cuenta. Hablamos toda la noche, me preguntó por vos; y bueno, resumiendo, terminamos viéndonos todas las noches durante un mes. Yo andaba hecho un zombi, imaginate, recién podíamos irnos de allí cuando cerraban, a las tres. Se portó bien conmigo, no me dejaba pagar casi nunca; decía «esta copa la paga el juez», un señor mayor, siempre de chaleco, que no fallaba nunca. Después me salió lo del Chaco, le propuse que se viniera conmigo y agarró viaje.

Miente, por supuesto miente. No sé qué pretende con esta historia; de sólo verlo, es imposible que haya logrado interesar los sentimientos de Mabel. Siento la tentación de irme, dejarlo plantado con su coñac; me tranquilizo por aquello de que, como la sombra, hay que saber pasar por el agua sin mojarse, y trato de quitarle cualquier intensidad a mi voz: –No sabía que habías estado en el Chaco –un interés falso, lo sé, porque sólo me importa en relación con esta estúpida historia que me está contando.

Juanito fuma ahora, y parece que estuviera enseñando a fumar al mundo; un codo levantado a la altura de los hombros mientras flexiona el brazo, saca y pone el cigarro de la boca y, entre tanto, medita, lleva los ojos hacia donde va el humo y mira con abulia especulativa a su alrededor. En ese alrededor estoy yo; más que un confidente resulto ser un frontón que devuelve la pelota para que Juanito juegue.

—Viví varios meses en el Chaco. Fue un error, pero podría haberme ido peor; por suerte, al volver, mi tío no estaba tan furioso conmigo y me recibió de nuevo en el restaurante. Hice pie de nuevo, como se dice.

»Un hombre que vos no conocés me propuso que explotáramos juntos un almacén en un pueblo; un caserío que si no lo ha secado el sol, ni se lo ha llevado alguna tormenta, se seguirá llamando Tres Mojones. Él ponía el capital, yo el trabajo, y pasó lo de siempre: yo trabajé como un burro, él cobró su parte, y si te he visto no me acuerdo. Casi tuve que volver a pie a Buenos Aires, caminando con los muñones. Pero me sirvió de lección, ahí aprendí que el dinero tengo que ponerlo yo y el trabajo otro. Y desde entonces me va bastante bien.

»Mabel quería irse a toda costa al campo, y le pareció bien mi propuesta. Y lo que resultó fue que en lugar de andar a caballo como quería, de bañarse en el río (no había ninguno cerca), de tomar sol y mirar crepúsculos, tuvo que arremangarse conmigo, cargar y descargar paquetes, cocinar para veinte peones hambrientos que sólo sabían comer carne, acarrear agua desde un pozo que estaba a doscientos metros, y cuidar la vida para no morir picada por una víbora o aplastada por el sol. Llegó a llorar; hasta que resolvió volverse. Duró apenas un mes; yo me quedé cuatro más. Todavía me acuerdo de su cara hinchada por el sol, los cachetes cuarteados, la noche que un lituano medio loco nos llevó hasta la estación en su volanta. Ahí se convenció, para siempre, que ella estaba bien donde estaba: lejos del campo.

El mozo revolotea cerca con la visible esperanza de que nos vamos. Juanito lo descubre y, en vez de alentarlo, le señala las copas vacías; al instante aparece la botella de Torres y, casi al mismo tiempo, le pedimos que nos sirva doble medida. Una coincidencia que le inspira un brindis a Juanito: –Por el reencuentro.

Otra vez por el reencuentro; tal vez piensa que es una suerte para la humanidad. Levanto mi copa: –Por el reencuentro –pero luego me corrijo–: Por la muerte súbita de los acreedores –y me siento más sincero.

–Hay algo que no entiendo –digo; y, aunque sé que puedo ser ofensivo, insisto–: Y es cómo Mabel se enamoró de vos. Quiero decir, hasta el punto de ir al Chaco.

La vanidad le aparece por un ojo; sin embargo, por el otro, se descuelga una sombra candorosa que lo obliga a parpadear. –Decía que yo tenía... –se sonroja, un arrepentimiento tardío porque ya lo tengo pillado de la cola, sólo es cuestión de sacarlo del agua.

–Que tenías qué –quiero ser implacable.

–Que tenía... que yo tenía algo virginal –lo dice de un tirón y suelta esa risa estúpida que, no hay ninguna duda, es una máscara. Curioso pudor después de veinte años.

Encuentro una venganza canallesca: me río descaradamente mientras le pregunto: –¿Sólo algo? –y lo obligo a reírse más aún, una risa que le duele en la cara; la máscara a tope. Un golpe bajo que me reconforta.

Ahora sí tendremos que irnos, ya están acomodando las sillas sobre las mesas y ha comenzado ese ruido infernal con el que se consigue el desalojo. Los visillos

impiden mirar hacia afuera, sólo se ve el color gris de la luz sofocada, de donde adivino que las nubes siguen su ronda incierta. Doy una última mirada a la foto de Mabel, que sigue sobre la mesa, un adorno ya inútil, y se la alcanzo: –No te la olvidés; si la has guardado veinte años, podés hacer lo mismo veinte años más –no entiende la ironía pero guarda la foto.

Ya estoy impaciente, seguramente se me nota porque levanta la mano y dice: –Tranquilo. Hay tiempo para todo –llama al mozo y pide otra vuelta de coñac.

–Ya no es posible, señor. Estamos cerrando –esta respuesta me tranquiliza.

Hace un gesto de desagrado, luego otro de resignación, por fin pide la cuenta. El mozo la saca del bolsillo, la asienta en un platillo, y me enredo con Juanito en un debate trascendental.

–Yo te invité –se niega a discutir.

–No señor, vamos a medias –intento con total honestidad, hasta donde esto es posible, leer la cantidad escrita en el papel, pero Juanito lo arrebata.

–Este señor es mi invitado. Pago yo –hace una seña que el mozo entiende y a partir de ahí resulta inútil mi protesta. El mozo se aleja a paso rápido con el platillo en alto, una ofrenda que va de una abundancia a otra y establece los vínculos de la convivencia, un intercambio de pequeñas prestaciones.

–Es curioso –dice Juanito; tiene la mirada un poco lela, como un muñeco de trapo–. Cuando íbamos a la estación, en la volanta del lituano, empezó a soplar un viento fuerte; el cielo se cerró como un toldo y perdimos el rastro. Ya creíamos que Mabel no alcanzaría el

tren. Pero el lituano se bajó y desapareció en la oscuridad, a pie; al rato creció una llamarada impresionante en el fondo de la noche: una palma seca que el lituano había prendido para orientarnos. Así pudimos salir de allí –hace un movimiento del brazo, del que no saco ninguna conclusión–. Apenas estuvimos de nuevo en el camino, dejó de soplar el viento, se descorrió el toldo y apareció la noche estrellada –se queda pensativo, pasa una mano por el mantel, la esconde debajo de la mesa, y me mira. El mozo ya ha dejado el vuelto sobre la mesa, y yo no quiero ponerme a interpretar un viento en el Chaco. Un viento de hace veinte años que hasta los meteorólogos olvidaron. Si este mundo anda al garete, y al parecer esto es inevitable, es por hechos vulgares y omisiones cotidianas que no entran en las estadísticas ni en los informes secretos. El estallido nuclear parece más probable a escala microscópica; tardaremos años en darnos cuenta cuando ocurra y, una vez más, llegaremos tarde a los hechos. Y entonces difícilmente nos ayude una palma seca ardiendo en la noche. Me pongo de pie y aparto la silla como quien aleja un peligro. Juanito me sigue, saluda al mozo, recibe un homenaje y salimos a Santa Fe; estamos descubriendo América. Son las seis, Juanito me lo confirma con su Rolex infalible; y toda esta gente corre, corre a cualquier hora y sigue corriendo aún a deshora. El pavimento está húmedo, no llueve; el impermeable está incorporado a nuestro estilo de existir a los brincos, en cambio el paraguas exige su lugar, hay algo imperturbable en su presencia, casi no le importa ni la lluvia. Sopla un viento suave y frío,

ese viento inocente que terminará convirtiendo a esta ciudad en un asilo para sobrevivientes.

–Así que no la has vuelto a ver –digo a modo de epílogo.

–Sí, la he vuelto a ver; la busqué cuando volví del Chaco. Pero ya todo había terminado –habla con displicencia, y lo que agrega me perturba, me enfurece–: Simplemente éramos dos desconocidos, como esos ex compañeros de colegio que se encuentran después de años en una comida de camaradería: cada uno busca en el otro al que ya no es. Y lógico, no se reconocen –hace girar la mano en el aire quitando importancia a lo que dice. Palabras ajenas que reconozco.

Se merece una trompada. Lo único que me ataja es que no lo entendería. No está capacitado ni para comprender una trompada, protegido por su corbata giratoria, por toda esta gente que corre a deshora, grita, toma taxis y genera señores con corbatas giratorias, propietarios de cuatro restaurantes, coleccionistas impúdicos de cosas cuyo valor ignoran a fuerza de estimarlo. «Ya todo había terminado»: una afirmación irresponsable que le queda grande; ¿se olvida acaso de que lleva, desde hace veinte años, una fotografía en el bolsillo? ¿Dónde está el comienzo o el final de algo?

Hay que inventar ambas cosas para que el mundo sea comprensible; y, sobre todo, inventar el final para que las cosas terminen de morir y nosotros quedemos en paz. Insiste en que le dé mi teléfono; por supuesto, le doy los números cambiados; a mi vez, tomo nota del suyo sabiendo que no lo llamaré.

–Tenemos que vernos –repite–. Tenés que mostrarme lo que has escrito –y agrega satisfecho–: No podrás negar que te he dado un buen argumento.

–No sé si es bueno o malo –digo–. Pero no sabría por dónde empezar.

–¡Por el principio!

GENTE EXTRAÑA

Josan Hatero

Toda historia tiene un comienzo o no es una historia. Pero un comienzo no es necesariamente un punto de partida. A menudo una historia es en su conjunto un punto de partida, la suma de una serie de detalles cuyo producto la narración convierte en una revelación que marca un antes y un después. La descripción de esa revelación pasa a ser propiedad de quien la lee, y por tanto, a esa persona corresponde otorgarle un significado o no hacerlo. Esta es una de esas historias.

Como regalo de boda, un amigo de mi padre le prestó durante una semana su coche nuevo, un Seat 127 de color rojo, para que él y mi madre pudieran irse de luna de miel. Arrebatado por semejante muestra de afecto, mi padre le pidió a su amigo que fuera el padrino del bebé que venía en camino y nacería apenas cinco meses después.

Mi padre trabajaba por entonces en el primer supermercado que abrieron en el barrio, hoy ya cerrado, y mi madre limpiaba en la casa de los dueños de una joyería. Aquel viaje les hacía mucha ilusión a los dos.

Su amor había irrumpido en sus vidas confundiéndose con ellas, al tiempo un anuncio y una certeza que mi temprana llegada al mundo rubricaría. Sabían que sus sueldos sumados eran una base débil para formar una familia y, aunque no se amedrentaban, les esperaban tiempos difíciles. Esa semana en un coche prestado era, incluso más que la ceremonia de casamiento, un punto y aparte en sus vidas, una última y urgente calada al cigarrillo recién encendido de su juventud.

La primera noche, la de bodas, la pasaron en un hotel; pero la siguiente decidieron que dormirían en el coche con el fin de ahorrar. Mi padre condujo hasta la playa y aparcó en la zona más oscura. Esa noche de invierno el cielo estaba limpio y puro; así lo describió mi padre años después cuando me lo contó. Mis padres salieron del vehículo a contemplarla y se recostaron sobre el frío capó, abrazados. Él preguntó si sabía ella algo de estrellas y luego le enseñó la Osa Mayor y la Osa Menor, la constelación del arquero y la del carro. Mamá se sorprendió de los conocimientos astronómicos de papá, que, por otra parte, se reducían a reconocer lo antes mencionado.

Entraron de nuevo en el coche, tumbaron los respaldos de los asientos, aflojaron los cordones de sus zapatos y se arroparon con mantas dispuestos a conciliar el sueño. Mi padre cogió la mano de mamá y cerró los ojos, sintiéndose feliz, tan limpio y puro como la noche.

Al poco, mi madre le despertó: un vagabundo había llegado canturreando y se había tumbado a dormir en uno de los bancos de madera de la playa.

–Tranquila –dijo papá–, sólo es un borracho. Duérmete.

–Hace mucho frío –dijo mamá–. Se va a congelar.

Mi padre se incorporó y la besó en la mejilla como a una niña, sonriendo.

–Esta gente está curtida. No le pasará nada.

–Todavía hará más frío –dijo mi madre mirándole fijamente con sus ojos oscuros.

Mi padre aguantó la mirada sin saber qué añadir. Después de unos segundos en silencio, mamá dijo:

–Deberíamos dejarle dormir con nosotros.

–¡Aquí dentro! ¿Cómo vamos a meterlo aquí dentro?

–Nos apretaremos.

–¡Santo Dios! ¡Es un borracho! Cariño, es un borracho.

Mi madre le miró con dureza y le avisó:

–A veces me pregunto quién eres. No te reconozco. Me pareces un extraño.

Papá cerró los ojos unos segundos, como si estuviera aturdido. Cuando los abrió, ella no le miraba ya a él, sino al vagabundo.

–¿Te parezco un extraño?

Mamá no se movió, como si no le hubiera oído. Mi padre contempló la nuca de ella. La nuca de la mujer que amaba. Estiró la mano y la posó sobre el abultado vientre de mi madre; un gesto que parecía querer legitimar algo.

Sin saber qué otra cosa podía decir o hacer a continuación, mi padre arrancó el coche y salieron a la carretera. Mamá protestó en silencio levantando las palmas de las manos como si sostuviera algo en ellas y dirigiéndole a la noche una mirada que escondía más de lo que enseñaba, y él se sintió obligado a disculparse:

–Es el coche de Antonio –dijo.

Ella cabeceó resignada, decepcionada. La mujer que amaba.

Entonces ocurrió algo que mi padre no esperaba: mi madre bajó la ventanilla, se quitó el anillo de boda y lo arrojó a la noche. Él detuvo el coche; sin brusquedad, respetando la inercia. Desde donde estaban no podían ver el mar. No necesitaban verlo.

–¿Por qué has hecho eso?

Por toda respuesta, sin perder su decidido gesto de estatua, mi madre dejó que las lágrimas cayeran por sus mejillas. Era la primera vez que papá la veía llorar.

Dio marcha atrás al vehículo hasta donde creía que había caído el anillo, quitó las llaves del contacto, se las guardó en el bolsillo y cogió una linterna de la guantera.

Mamá continuaba llorando en silencio, con una tozudez carente de entusiasmo.

Mi padre recordó aquella noche de diciembre toda su vida. El momento en que los antiguos y secretos mecanismos del mundo se detuvieron fugazmente sólo para él. La memoria de un presentimiento nuevo, de un significado nuevo y de una emoción que no era nueva pero sí reveladora, como acostumbran a ser las tristezas. ¿Cuánto desconocían el uno del otro y por qué? ¿Cómo podían amarse así y por qué? ¿Hasta dónde, hasta qué punto ese mismo amor les convertía en gente extraña el uno para el otro?

EL AMANTE DE LA CAPILLA

Alfonso Cueto

Alfredo se levanta, se ducha y piensa en llegar temprano a misa de diez. Mientras camina por la calle mira el reloj.

Es un domingo soleado. Cuando llega a la iglesia, se le viene el alma al suelo. Hay racimos humanos en la vereda, las puertas están rebosando de gente.

Se queda de pie en la puerta, atisbando, pensando en cómo abrirse paso. Mira de lejos las ventanas multicolores, el altar inmaculado, la alfombra roja. De pronto se hace un silencio, las miradas se vuelven hacia adelante. El sacerdote acaba de salir.

Hay cánticos y cuerdas de guitarra. Alfredo apenas puede verlo entre los hombros de la gente. Es el padre Alberto.

La ansiedad es un escalofrío en la espalda. Da un paso hacia adelante. Ir a misa a las diez los domingos es el momento estelar de su semana. Tiene tantas ganas de entrar, de arrodillarse, de sentir la ceremonia. Si llega a una puerta lateral, va a estar más cerca del altar. Si llega allí, puede sentarse. Puede hacerlo. Pero para llegar allí, necesita caminar sobre el muro de la terraza

exterior y por allí a la puerta de columnas para buscar un sitio en la primera fila.

Pero hay demasiada gente. Hace falta abrirse paso y dar el salto hasta el muro. No es tan fácil para alguien como él. La música de voces y guitarras continúa.

En ese momento Alfredo quisiera haber adelgazado, haber hecho más deporte, haber sido otro. Se sostiene con las dos manos, da un salto y logra subir al muro. Se queda de pie, allí arriba, convertido en un emperador incierto y tambaleante, por encima del grupo de parroquianos. De pronto los ve a todos como a una gran distancia. Hace equilibrio, se balancea por un instante eterno, asomado al vértigo. Siente que el peso de su cuerpo se extiende delante de él, que el mundo se ha extenuado, que de pronto ha dado una gran vuelta hacia abajo, y que él va cayendo sobre la yerba. La alfombra verde estalla en su cara y una vez en el suelo, con el estupor del golpe, recibe la aterradora certeza de su cuerpo. Se queda echado, avergonzado de las personas que voltean hacia él, tratando de descansar en el cuello y los hombros, las únicas partes que no le duelen. Una corriente lo abruma desde el pie izquierdo. Ahoga un aullido. De pronto siente una voz. Qué ha pasado, qué pasó. Alguien lo está levantando. Alfredo no puede sostener el pie. Se apoya en los brazos del otro, siente que ha empezado a remolcar su pierna, que es sólo el dolor en el tobillo.

–Tenemos que llevarte a una clínica –dice la voz–. Dime a cuál. ¿Tienes seguro?

Alfredo saca una tarjeta.

–Sí, aquí está, la clínica Ricardo Palma.

El tipo que lo está ayudando le dice que tiene el coche cerca. Alfredo lo ve. Tiene una camisa blanca y puede sentir la densidad tibia de su piel bajo la tela. Camina apoyándose en él. Durante el trayecto, algunos otros le preguntan qué le ha pasado. Atrás quedan los cánticos del inicio de la misa.

El parroquiano que lo ayuda, que lo sube al coche, que está manejando es blanco, cachetón y de voz grave. Alfredo lo reconoce. ¿Tú no eres Donato? Caramba, Alfredo. No me había dado cuenta. Eres tú. No te veo desde el colegio, creo, desde que dábamos juntos el examen de Química con el profesor del Solar. Tantos años, qué coincidencia, mira que encontrarnos aquí, y tú con el tobillo roto.

Hay tiempo para conversar camino de la clínica. Alfredo siente que lo odia y que le agradece por lo que está haciendo. No tenías por qué molestarte en traerme, le dice. Bueno, no voy a misa pero hago una obra de caridad. Una obra de caridad hacia un prójimo, bueno, tú eres más que un prójimo, eres un amigo.

Un silencio.

–No sabía que vivías por aquí.

–Hemos vuelto al barrio. Yo me acabé casando con una chica de la clase –dice Donato.

–¿Quién?

Resulta que su esposa es Rocío, una amiga de la familia y antigua vecina de Alfredo.

Rocío. Claro que sí.

Llegan a la clínica. Alfredo se mueve con una lentitud dolorosa. Se siente suspendido en el aire, aterriza

en una camilla. Coge el teléfono para llamar a su casa. De pronto hay un ruido en la sala de Emergencias. Es su madre que llega, pregunta, llora, está a su lado. Alfredo la toma de la mano. Hay que hacer una radiografía. Creo que tengo un hueso roto, cualquiera se rompe un hueso en estos días.

Donato sale. Luego vuelve.

–Llamé a mi mujer para decirle que estaba aquí. Tenemos que irnos a un almuerzo –le dice–. Mi mujer. Creo que te conoce, ¿no?

–¿Va a venir?

–Sí, iba a encontrarme a la salida de misa. Se quedó cuidando a Alfredín, nuestro hijo.

–¿Tu hijo?

–Sí. Caray, se llama igual que tú. Tu tocayo.

El médico ve las placas.

–Tiene una rotura –dijo–. En el tobillo.

–¿Qué?

–Vamos a enyesarlo.

El doctor y un asistente se ponen a trabajar alrededor de su pie.

De pronto una luz aclara las siluetas. Se ha abierto una puerta. Entra una mujer con un traje azul, zapatos blancos, sostenida por pasos tranquilos y largos. Es Rocío.

Rocío ha cambiado: tiene un poco más anchas las mejillas, un poco más seco y corto el pelo. Ha engordado algo. Pero allí brillan siempre esos ojos firmes y húmedos, de un azul de hielo que lo paraliza.

–Alfredo –dice.

Él le sonríe. Él recuerda la última vez que se vieron. Piensa que quizá ella lo recuerda también. Era un día soleado como ese, un domingo.

–¿Te has hecho daño?

–Una rotura –dice su madre–. Vas a estar bien, hijito.

–Bueno.

Alfredo siente un vuelco en el corazón.

El lunes a las 6 de la tarde Alfredo apaga la TV y levanta el teléfono. Siente que la mano le tiembla pero se sorprende de la seguridad de sus dedos. Una energía violenta, suicida le mueve la mano. Aprieta las teclas. Un movimiento triunfal.

–Rocío.

–Sí. Hola, Alfredo.

Silencio.

–Qué sorpresa.

–Fue lindo verte, Rocío. Es decir, a pesar de las circunstancias. Fue lindo verte ayer.

–Para mí también. ¿Cómo sigues?

–Bien, ahora ya es cuestión de tiempo. Que el hueso se arregle solo nomás.

Hay otro silencio. Atención ahora. Atención. Tiene que decir algo para sostener la conversación, para no ceder al silencio.

–Estoy aprovechando mi descanso para leer. O sea, este accidente me va a tranquilizar un poco, me va a dar tiempo, voy a estar más en mi casa.

–Qué bueno.

Alfredo piensa que a ella no tiene por qué interesarle esa declaración. Es la afirmación de un niño ególatra y débil, lo que él siempre ha sido. Pero insiste.

–¿Te gustan las novelas de misterio?

–Me encantan.

–Ahora terminé una. Trata sobre un viejo millonario, su novia y una hermana amargada que decide chantajearla –dice Alfredo–. Es una historia entretenida. Al final la hermana chantajeada es la que triunfa. Es el triunfo de los resentidos, de los marginados, de los feos del mundo.

Ella se ríe.

–Ay, Alfredo.

–¿Qué?

–Desde el colegio siempre tan lector. Te vas a morir leyendo, oye. Deberías tratar de vivir un poco.

–Es que no... no sé.

–Es que nada. Es que eres como eres.

–Creo que la vida es demasiado complicada. O vives o lees. Y yo he escogido leer más bien. Leer, ver películas, ir a misa. Eso es.

Alfredo está inclinado: el peso de los hombros, el peso de la melancolía, el peso del dolor.

Adivina con convicción lo que puede estar pasando al otro lado. El dedo apretujado en el auricular, las piernas dobladas, la tensión de las líneas de la cara. Quizá la suave explosión del amor se ramifica en sus venas, se extiende por los dedos, se dibuja en la silueta de ella.

Él está jadeando y se encuentra con el desesperado silencio de no saber qué decirle. Está a punto de agregar: «Leo para olvidarme de ti, para olvidarme de lo que hice, de lo que no hice más bien, es que yo era tan tonto, tan idiota, sigo así, no he cambiado, he destruido

mi vida porque no quise que estuvieras aquí, conmigo, yo con el tobillo roto y tú aquí conmigo».

Pero no le dice eso. Quiere prolongar el placer de oír el timbre de su voz, de recordar sus manos, la forma larga de sus manos.

—Supe que tu hijo es mi tocayo —dice él.

—Sí.

Una pausa, el labio apretado.

—Pienso mucho en ti, Rocío.

Lo ha dicho de pronto. Sus labios se han liberado y lo han dicho.

—Bueno, dejemos eso por ahora.

—Pero es así. No sé por qué te lo digo, pero es así. Siempre pienso en ti.

Un silencio otra vez.

—No sabía que ibas a misa, ¿vas siempre a Santa Rita?

—Sí.

—Bueno, yo también. Nos hemos mudado. Donato y yo nos mudamos a este barrio hace poco.

—Perdona si te he molestado con lo que te dije.

—No me has molestado. Es que es un asunto del pasado, nada más. Ahora ya no tenemos que pensar en eso, Alfredo.

—Bueno, quién sabe.

—Ya nos veremos, Alfredo. Cuídate mucho.

Un poco después él sigue en su casa, leyendo una novela de suspenso.

Su madre llega, le prepara la comida.

Durante los siguientes días, lee muchos libros, ve TV, escucha música, reza algunas oraciones. Y recuerda la última escena.

La llama varias veces.

Insiste, oye los timbrazos como ecos violentos y lejanos, siente el dolor del auricular en la oreja, explica y escucha a la empleada. Todo sin éxito. Rocío no se acerca al teléfono.

Por fin, un tiempo después, le quitan el yeso.

El primer domingo que puede va a misa de diez. Llega temprano. Los ve.

Donato y Rocío están al otro extremo de la iglesia, con el chico.

Durante el sermón, Alfredo voltea hacia ella, al otro lado de la sala. Todas las cabezas miran al padre pero Rocío está mirándolo a él, los ojos violentos, inmóviles, incrustados en los suyos, narrando con sus dos bolas congeladas el infinito de su desolación, su deseo, su arrepentimiento, su necesidad, su confusión. De pronto ella tuerce el cuello y se dirige al padre otra vez.

Entonces Alfredo adivina el secreto y feliz final de la historia.

Desde entonces van a mirarse muchas veces. No van a volver a hablar de amor. No va a haber escenas difíciles. A la salida o a la entrada van a despedirse con un gesto y un beso en la mejilla, un apretón de manos a Donato, un golpe en el hombro al chico. Pero van a mirarse durante la ceremonia.

No van a faltar a misa de diez. Están unidos para siempre, los domingos en la capilla.

Me escancia con su diestra y con sus labios.
A un lado y a otro la embriaguez me lleva.
A fuerza de apurar cáliz y boca,
ya no sé, dulce amor, cuál es el vino.

IBN AL-ZAQQAQ, Duda

SE CODICIAN,
SE PALPAN,
SE FASCINAN

AUTOBÚS

Luis Mateo Díez

Ella sube al autobús en la misma parada, siempre a la misma hora, y una sonrisa mutua, que ya no recuerdo de cuándo procede, nos une en el viaje trivial, en la monotonía de nuestra costumbre.

Se baja en la parada anterior a la mía y otra sonrisa furtiva marca la muda despedida hasta el día siguiente.

Cuando algunas veces no coincidimos, soy un ser desgraciado que se interna en la rutina de la mañana como en un bosque oscuro.

Entonces el día se desploma hecho pedazos y la noche es una larga y nerviosa vigilia dominada por la sospecha de que acaso no vuelva a verla.

LA DIVINA PROPORCIÓN

Esther Cross

·

Bajo el retrato que Owen exponía en su comedor, el rótulo decía: *La menina de Manhattan,* tal el nombre con que el pintor había decidido bautizar su obra. Posteridad exótica; retrospectiva, retromoda. No se trataba de un cuadro que imitase con fidelidad de plagio el trazo y los colores de Velázquez. Pero el pintor había decidido –y no es difícil adivinar por qué– tomar la estructura de *Las meninas* para dibujarla. El escenario no era ya la sala de un palacio sino el mismísimo Battery Park de Manhattan. Claro que a sus espaldas había infinitud de espejos: las ventanas de los rascacielos que un famoso arquitecto argentino construyó para beneplácito de los norteamericanos. El pintor, por su parte, prefirió retratarse como una simple sombra, de frente a la moderna menina. No había reyes asomándose en la furtividad de la tarde, ni siquiera una dama de compañía. Sí un perro, que parecía exageradamente grande al lado de ella. Ella. Su pelo, al igual que en el cuadro del pintor español, era mimbre y rubicundo y le llegaba a los hombros. No poseía la dignidad de una princesa ni la

inocente crueldad de la infanta del cuento de Oscar Wilde. Para ser quien era –llamativa, cabal, encantadora– le bastaba con ser ella misma. Nada de títulos ni apodos exuberantes ni uñas largas sosteniendo una boquilla de nácar blanco. La enana de Manhattan. Las cosas por su nombre. Era enana y bien podría haber descendido del autobús circense de Fellini en la película *Ginger y Fred*.

–¿Por qué? –le pregunté a mi hermano Owen cuando, hace tiempo, comenzaron la insólita relación.

Owen me miró como si poseyera una respuesta que las personas simples, las complicadas, las inteligentes y los bestias no podían entender. Él poseía un secreto, una clave que no merecía arrimarse a mis convencionales oídos de persona poco convencional. Pensé que no confiaba en mí. Me tranquilizó. Dijo:

–Mariana, si tuviera que explicárselo a alguien, te lo explicaría solamente a vos. Serías la única persona capaz de comprenderlo. Pero estoy decepcionado. –Tomó un sorbo de mate con su bombilla de plata. Pensé que su comportamiento era el paradigma de los hombres de campo que, súbitamente, descubren las delicias de la civilización. Porque en la otra mano tenía un cigarro Partagás y había dejado sus impecables bombachas de lino blanco por un traje de medida de color gris elefante–. Muy decepcionado –insistió mientras atendía el teléfono–. No le pregunté por qué. Cuando terminó su conversación, me lo explicó: –Si realmente lo entendieras, Mariana, ni me lo preguntarías.

Owen parecía extraño, no era el mismo. El rencor y la incertidumbre no bastan para definir lo que sentí

en ese momento. Y, en verdad, no estaba equivocado. El amor no requiere explicaciones. Es así de fácil. Y yo no supe comprenderlo. Entonces, contumaz, insistí:

–Pero, ¿por qué ella? Tantos años de soltero empedernido para enamorarte justamente de ella.

Con gesto benévolo, me señaló una de las vitrinas de su casa. Miniaturas chinas, inglesas, calaveritas de marfil, mates para liliputienses.

–Me gustan las cosas proporcionadas –dijo, cuando yo estaba esperando que dijera «me gustan las miniaturas». No me salí con la mía, porque su respuesta fue tajante: «me gustan las cosas proporcionadas», había dicho. Argumenté que la proporción no debe guardar su virtud sólo con respecto a sí misma, sino que se define por su relación con el exterior. Quise ser didáctica, así es que ejemplifiqué:

–La hoja de una enciclopedia en un libro de bolsillo no es proporcionada. –Festejó el sarcasmo, la ocurrencia, no mi actitud. En silencio, su cerebro agudo y falaz debe de haber hecho algún periplo insospechable porque dijo:

–La conocí en Manhattan.

No tuve que preguntarle «¿y con eso, qué?». Owen siguió hablando:

–Mariana –me explicó–, ella, en medio de aquellos tan altos rascacielos y trepada a las veloces y empinadas escaleras mecánicas, no estaba nada mal. Al lado de aquellos gigantescos edificios, cualquiera es indistintamente un gigante o un cretino.

–¿Ella es cretina? –pregunté, malintencionada. Sabía que el cretinismo es una enfermedad hormonal, pero me incliné por otra acepción, menos médica y más peyorativa, de la palabra.

–Bueno –Owen no me prestó atención. Parecía inalcanzable. Ninguno de mis dardos venenosos daría en su blanco. –No es cretina, exactamente. Es enana. Sí, ¿no hay enanos en todos lados? Bueno, ella es enanita. No, enanita no –se corrigió–. Entonces sería demasiado pequeña –rió descaradamente–. Es, simplemente, una enana. Nunca averigüé las causas de su exótica constitución.

Me comí un alfajor y guardé silencio. Seguía deshaciéndome la lengua con maicena y dulce de leche cuando cerré la puerta. «Mariana», me dije, «Owen está encandilado con esta mujer fatal. Si no puedo con la palabra», me aseguré, «podré con la espada, con la pluma, o con cualquier otra táctica.» Advertí que «palabra» y «pluma» venían a ser, para mí, casi exactamente lo mismo. Así es que cambié «pluma» por «guerra fría» y crucé la plaza en dirección a la avenida, pasando por la iglesia circular y pisando las flores lilas de los jacarandaes con deliberada fruición.

Cuando llegué a casa sufrí una fuerte jaqueca. Me tendí en la cama con una compresa de agua helada sobre los ojos. Recordé la infancia. Los eucaliptos grises del campo, Owen montado en su primer caballo: un alazán malacara. Las frías baldosas en la interminable siesta del verano. Owen robando dulce de membrillo en la despensa. Siempre Owen. Mi padre bajándose del tren, la disciplina ascética de nuestra madre. Su vejez.

Ya había llegado a la época en que Owen y yo teníamos treinta y treinta y dos años, respectivamente. Recordé que ni a mi madre ni a mi padre les molestó demasiado que los dos hermanos fuésemos solteros: Guardábamos las buenas costumbres.

Tanteé con la mano en la mesa de luz. La foto de mi madre en su septuagésimo cumpleaños. Su vestido negro de digno luto. Su cara de baile blanco, sus manos de fervorosa seglar. El consabido collar de perlas. La sonrisa afable, tal como había salido en la nota necrológica del diario. Me dije: «un profundo pesar...». Mi padre, en las fotografías, se reduce a una mano poderosa y firme sobre uno de sus hombros. Con eso basta. No tengo más recuerdos de él.

Entonces sobrevino la idea de que Owen nos estaba traicionando –a los muertos y a mí–, la conclusión de que mi hermano se había entregado a una tardía rebelión adolescente. Preferí meretrices, drogadictas, incultas, sabihondas, ateas, a la pequeña mujercita de Manhattan. Preví la reacción de mis amigas y el rostro interpelativo de mi padrino, y las risas furtivas. Ese mismo día puse en marcha mi plan.

Con algún esfuerzo, tomé el teléfono y llamé a casa de Owen. Mi hermano me atendió cordialmente y los invité a tomar el té. Dije que era necesario que la mujercita y yo nos conociéramos. Owen aceptó mi invitación. Dos días después tocaron el timbre de mi departamento.

–Mariana, ella es Brenda. –Me agaché con exagerada inclinación y besé su cerámico rostro de muñeca antigua. Brenda me sonrió y siguió de largo para sentarse,

decidida, en el sillón. Miré a Owen, desconcertada. Él, por su parte, festejó la falta de cortesía, se encogió de hombros y avanzó, rápidamente, para sentarse al lado de la pequeña Brenda tomándole la mano. Hice traer el té. Había recobrado del bargueño de los horrores unos enormes tazones de porcelana inglesa. No pude evitar la dicha que me produjo ver a Brenda ante semejante tazón. Justa inculpación a su pequeñez, alusión perfecta. Estaba orgullosa. Tomamos té de jazmines. Le dije:

–Y, Brenda, ¿cómo encontraste la Argentina?

–Bien, señora –me contestó, y el hecho de que no me tuteara me pareció un preciso índice de que era consciente de nuestra desigualdad. A continuación, Brenda habló de los graves problemas que tenía para hacerse entender.

–Querida, no es para tanto, no hay que ahogarse en un vaso de agua –le dije, intencionadamente.

Los llevé al balcón. Brenda asomó su cabeza voluminosa –pero no fea, no era fea en modo alguno– a través de los barrotes. Debo reconocer que su pelo de menina era fabuloso y que no se vestía mal. Me pregunté dónde conseguiría esos zapatos, que no eran ni de niño ni de adulto. Omití la pregunta y me dispuse a sacarles fotografías.

Saben los que saben que con la cámara fotográfica pueden lograrse milagros. Las arrugas desaparecen en virtud de la iluminación, y las sombras acentúan los rasgos ponderables y mitigan los defectos. Pero, para alguien que no sabe fotografiar –tal mi caso– es imposible hacer milagros. Las cosas y las personas salen tal

cual son –con eso me bastaba– o aun peor –lo que me hubiera hecho extremadamente feliz. Clic. Brenda y Owen tomados de la mano frente a la azalea. Brenda y Owen de perfil. La enanita agitaba las palmas de las manos en un arrebato de felicidad. Owen parecía tan inocente como ella. Sentí un dejo de remordimiento por él. El remordimiento desapareció. Puse en funcionamiento todos los engranajes aceitados del mecanismo mental y decidí que lo hacía por su bien. Clic. Brenda y Owen frente al jazmín. Clic. La sombra de Owen cubriendo todo el ínfimo cuerpo de Brenda. Clic. Brenda sobre una silla alta, sus pies apenas alcanzan a sobresalir del profundo asiento tapizado de terciopelo azul. Clic. Ni siquiera en el silloncito sus pies alcanzan la alfombra. Entonces, Owen dijo:

–Voy a fotografiarlas a ustedes dos juntas.

Sentí pánico, pero no pude negarme. Brenda se paró a mi lado y musitó:

–Agáchese un poquito, Mariana, va a salir demasiado alta. –Pensé «qué tupé», parecía orgullosa de su malformación.

Dos días después les envié las fotografías. Para mi sorpresa, se mostraron absolutamente conformes con ellas. Guardé aquella en que Owen nos había fotografiado juntas. La desproporción entre Brenda y yo era tal que no discerní a ciencia cierta cuál de las dos era la malformada. «Es ella», me dije, decidida. Y puesto que mi plan sutil no había dado resultado y las fotografías no habían tenido sobre mi hermano el efecto de un espejo fatal y revelador –como en el cuento de Oscar Wilde cambié de estrategia.

Evité las reuniones, eludí los casamientos. Temía que me preguntaran: «¿cómo está tu hermano Owen?». Así es que di parte de enferma, y no mentí del todo, porque en aquel entonces sufría jaquecas interminables que me dejaban postrada en la cama por horas. Cerraba los ojos. Veía, otra vez, el rostro de Owen. Los gestos severos de mi padre, el silencio materno.

Owen y Brenda cumplieron con la visita de rigor. Vinieron a verme en mi lecho de enferma. Owen permaneció de pie durante toda la hora y ella se acercó al trote, meneó su pelo mimbre y, de un saltito, se incorporó sobre la cama. No se maquillaba, pero tenía el impudor de parecer pintarrajeada de todas maneras. Lo que más me impresionaba era su voz adulta. Hubiera aceptado con menor sobresalto una voz infantil. Y el acento entrecortado le otorgaba la dignidad y la distancia propias de una inglesa que resignadamente vive un destierro aventurero en el hemisferio sur.

Traté de lastimarla, de ofenderla, de tocar, con el encono que me invadió, su alma. Le hice regalos: mesas ratonas, un libro sobre Toulouse Lautrec, una edición de *El tambor* de Günther Grass, las crónicas de las vidas de Catalina del Viso, Diego de Acedo, Sebastián de Morra y otros cretinos y bufones ilustres que siglos atrás recorrieron los palacios hispánicos o posaron para pintores de renombre. Había apuntado mi rifle de calibre exagerado a una distancia poco deportiva y, por tanto, con escasas probabilidades de fallar. El tiro por la culata. La explosión me ensordeció. Cuando recibieron un artículo del diario que hablaba sobre «Monstruos, enanos y bufones de los Austrias» que

yo les envié, Owen y Brenda me telefonearon. Habían decidido destruirme absolutamente. Brenda tomó el teléfono y me dijo:

–¿Sabe, Mariana? Ahora Owen quiere que me retraten a mí.

Siete mil dólares costó ese retrato. Owen, que hasta entonces abominaba a las personas que gastaban el dinero porque sí, llamó a un conocido pintor y le encargó el cuadro. Pensé: me lo han hecho a propósito. Recapacité: gozaban de la inocencia y la invulnerabilidad de las personas que se quieren. Una jaqueca de dos días, que nada fue en comparación con la que sufrí cuando recibí la invitación: el cuadro de Brenda sería expuesto en una galería importante de la calle Suipacha. Yo debía concurrir. Estarían todos. Las Martas y los Gonzalos, los Javieres y la prensa. Porque era un pintor conocido. Junto con la tela que tapaba el cuadro caería, en aquel nefasto vernissage, el velo que encubría la verdad. Premios y felicitaciones. Aplausos. A Brenda apenas la veía. Owen la tenía tomada de la mano y recibía, con ella y el pintor, las aprobaciones. La menina de Manhattan. Su pelo mimbre, tieso, entre los rascacielos; ínfima al lado de las gigantescas palmeras que se veían tras los vidrios del World Financial Center. Todos tenían que inclinarse para saludarla. Ella parecía feliz. Y debo ser honesta: me planteé seriamente si sólo quería separarla de mi hermano. Ahora sentía que quería acabar con su felicidad. Porque había decidido que su alegría fuese tan corta como su estatura. Pensé que mi padre, apoyando su mano poderosa en uno de mis hombros, me hubiese advertido, sorpresivo y racional

como siempre, que si yo la consideraba inferior no tenía que preocuparme tanto por ella. Retomé la causa salvadora, la vocación de hermana, hice mío el antiguo dicho de que «si te quiero, te aporreo». Pero también comprendí que sería sumamente difícil aporrearlos.

Cuando recordé que fui yo la que había contribuido a que se conocieran, el odio se volvió en mi contra. Recordé el campo anegado, la cara deprimida de Owen mirando la inundación desde la tranquera. Y mis palabras: «Hacete un viaje, Owen, andá a los Estados Unidos, tenés que distraerte; a tu vuelta, el agua habrá retrocedido y todo estará bien». Y se fue. Una mañana de abril. Cuando el avión 747 despegó, sentí que había hecho nuevamente una obra de bien. Equivocada. El vuelo lo llevaba a Nueva York, a Manhattan, a Brenda. La idea de que yo había sido la causante del encuentro me produjo un terrible dolor, pero no negaré que me sentí poderosa: se habían conocido por mi intervención. Siempre yo.

Entre jaquecas, compresas, píldoras enormes y tés de consuelo, advertí, además, que yo soy alta, no exageradamente alta, no sueca ni dinamarquesa ni etíope, pero alta. Bastante alta. Me miré en el espejo. Miré la fotografía en que estaba con Brenda. Sumamente alta, sentencié con amargura. Procedería con crueldad, sería tan implacable como una sufragista de fines de siglo.

Cuando nacen los movimientos son siempre, primero, de oposición. Mi movimiento, cruzada, era, en primer lugar, contra ella. A favor de Owen, después. Y ni siquiera sé si a favor de Owen. Porque su deter-

minación y el hecho de que no compartiéramos una felicidad me molestaban demasiado.

Brenda leía, con la voracidad de un joven escritor o de una investigadora. Quería saberlo todo. Su lectura favorita era *Alicia en el país de las maravillas*, prefería la versión original a la castellana, y releía el capítulo del filtro que hacía alternativamente de Alicia una gigante o una miniatura. Los anaqueles de la biblioteca que estaban al alcance de su mano contenían dispares mamotretos. Cuento, entre ellos, *Las aventuras de Gulliver*.

A continuación, enumero algunas invitaciones inoportunas que les hice: los invité a jugar al golf, a una exposición de perros daneses, a ver los caballitos de Falabella –con los que Brenda quedó encantada–. Traduzco: dos caballitos fueron a parar, para mi disgusto, al campo.

Pensé en un viaje. Rechacé la idea. Debía estar cerca de mi centro de operaciones. Sabía, rotundamente, que la distancia hubiera tenido en mí el efecto de una anestesia. Primero hubiese ido al norte del país. Después, al norte del mundo. Y me hubiera quedado viajando con tal de no sufrir lo que para mí era un definitivo bochorno. O un problema racional. Nunca soporté no entender lo que pasa. Además, pensé en plena jaqueca estival bajo las hélices del ventilador, no le dejaría el campo libre. No iba a soportar que Brenda se quedara aquí, en Buenos Aires, mientras yo viajaba por todo el mundo haciendo vida de gitana, como si estuviera en un circo. Circo. Siempre odié los circos. Los animales castigados, el hedor a fiera enferma, el paraíso de los

expresionistas. Circo. Como una calesita, la palabra me dio vueltas y más vueltas en la cabeza. Caballitos sube y baja, automóviles siderales. Circo, circo. Desperté sonriente. Circo era la clave. Y puse en marcha el plan definitivo.

La expectativa no me dio tiempo de tomar un café esa mañana. Fui hasta la puerta de la cocina y me aposté allí, esperando que el diario asomara con puntualidad. Corrí las páginas con velocidad. Busqué: espectáculos. Encontré: «Circo Francés de los Hermanos Perrier». Muy bien. En Villa Devoto. Eso es. En todos los circos hay enanos. Y yo necesitaba un enano para separar a Brenda de Owen. ¿No dicen los psicoanalistas que a veces uno se enamora de su propia persona en los demás? Aunque también dicen que nos enamoramos porque el otro tiene cualidades que no poseemos pero ambicionaríamos tener. De ser así estaba perdida. Si el amor de Brenda y Owen se basaba en la complementación, estaría absolutamente vencida.

No quise ser derrotista. Aposté a la primera posibilidad. Que Brenda se entendiera de mil maravillas con alguien como ella.

Me puse en marcha, alrededor de las seis de la tarde, bajo la lluvia. Fui la primera en llegar a la taquilla. Tomé la cartera con fuerza entre mis manos. El lugar estaba desolado; el circo había acampado en medio de un baldío. Le pregunté al taquillero: ¿En este circo hay enanos? «Hay uno», me contestó, «pero también hay un elefante, un oso, payasos, volatineros, malabaristas, domadores, hipnotizadores, bailarinas, caballos blancos.» La enumeración estaba

de más para mí. Saqué una entrada y me senté en la primera fila.

Soporté: el vendedor de maníes; la pobre foca hostigada y reseca con una pelota multicolor sobre el hocico; un mago que escamoteó, para suerte de todos, a una horrenda mujer; la mujer barbuda que se me acercó demasiado. Trompetines y tamborcitos ensordecedores. Clowns de triste aspecto, recibiendo bofetadas plausivas. Una mujer se montó en un caballo blanco con un penacho de plumas apelmazadas sobre la cabeza. Cambió de caballo al menos treinta veces. Me mareó, girando por la pista. La carpa goteaba lluvia, tierra, todo. Pero mantuve el paraguas cerrado. Entonces hubo una pausa. Una pausa expectante. Tras la pausa vendría el domador vestido de rojo flamígero. Y en la pausa apareció él. Un enano semejante a Brenda, de pelo un poco más oscuro. No retacón, más bien ágil. Hizo muecas, cabriolas, volteretas, se hundió en el enorme saco cuadrillé. Corrió, bajo la lluvia, las risas, y la lluvia de aplausos, hacia afuera. Me puse de pie y lo seguí.

Un turco me preguntó hacia dónde me dirigía. El oso me ignoró. Rocé los barrotes de las jaulas. Vi el carromato del mago, el de las bailarinas, el de los funámbulos. Un carromato muy pequeño se hallaba en el último trayecto de la caravana inmóvil. Golpeé la puerta. Giles –tal el nombre del enano– me abrió de inmediato.

Estaba fumando un cigarrillo, tenía algo de Humphrey Bogart. Era seco y cortés. «¿Madame?», preguntó. Omití aclararle «Mademoiselle». Le pregunté

si podía entrar. Giles me miró de arriba abajo –o, más precisamente, de abajo abajo– y se corrió para dejarme pasar. Tomé asiento sobre un desvencijado sofá-cama. El hombrecito se sentó frente a mí, en una pequeñísima silla. Todo estaba en armonía con su tamaño, de manera tal que él parecía proporcionado y yo parecía una giganta. Se movía rápidamente. Me ofreció un vasito de anís. Acepté. Necesitaba algo fuerte para animarme. Giles no estaba interesado en el motivo de mi visita. Me habló sobre la vida del circo y sobre sus comienzos. Dijo ser oriundo de Lyon. Yo pensaba: «Diablos, ¿qué pasa con ellos? ¿Tan poco le importa saber por qué yo estoy aquí?» Dije:

–Monsieur Giles, ¿no le parece extraño que yo esté aquí?

–Oh, en absoluto –contestó sonriente–. Todos los espectadores quieren estar en contacto con las estrellas. Bien, yo soy una estrella en el Circo Perrier. ¿Por qué no vendría una señora a visitarme?

Asentí con resignación. Le dije:

–Quisiera que venga usted a mi casa.

El hombre me miró con naturalidad. Preguntó:

–¿Algún niño enfermo, una fiesta?

–De ningún modo –me apresuré a responderle–. Quiero invitarlo a usted a tomar algo en mi casa.

Su rostro se tornó misterioso y me miró con una sonrisa que, además de turbarme, me molestó.

¿Qué cree usted? –pregunté, enojada.

–No se preocupe. –El cigarrillo pendía, displiscente, de sus labios pálidos. –Estoy acostumbrado. –Tomó un trago de anís y me acercó la botella. La rechacé.

De un cajón sacó una flor de género gastado. Con gesto absolutamente gracioso, me la entregó. Como yo no me dignaba siquiera a mirarlo, se acercó y me sonrió. Puse distancia.

–Es que, señor Giles –dije, ansiosa por retirarme–, yo le pagaría.

–De ninguna manera, Madame, será un placer ir a su casa.

La respuesta me sobresaltó. Entonces opté por decirle la verdad:

–Quiero que usted enamore a una enana.

Giles me miró sorprendido. Arqueó las cejas y apagó el cigarrillo. Volvió a sentarse en su sillita, cruzó las piernas, dejó el brazo colgando en el respaldo y, con gesto mundano, aseguró:

–No me gustan las enanas. –Parecía ofendido.

Lo miré, atónita. Le aseguré que Brenda era la mujercita más linda que hubiera visto, que parecía sacada de un cuento. Lamenté sentir que estaba diciendo una absoluta verdad.

–Yo pensé –agregué nerviosa–, que entre ustedes...

–Entre nosotros nada. –Giles se puso en pie de un saltito y me dio la espalda.

Súbitamente se dio vuelta, se paró sobre una tarima y me dijo:

–¿No les gustan a los viejos las jóvenes? ¿No les gustan a los jóvenes las señoras maduras? Bueno, Madame, a mí me gustan las mujeres altas. –Recordé que yo soy alta y entonces acepté otro sorbito de anís, que me quemó la garganta, me enturbió los ojos, me erizó el pelo

y me debilitó las piernas. El terrible anís. El terrible Giles. Corté por lo sano:

–¿Va a venir o no va venir usted a tomar el té a mi casa?

–Con una condición –dijo el hombrecito sonriente–, que venga usted a buscarme aquí. No conozco la ciudad y podría perderme. No quiero perderme.

Pensé: está bien lo que propone, ¿por qué no? Entonces decidí buscar un teléfono y cambiar el té por una invitación a comer. Giles se mostró complacido y me acompañó hasta un teléfono público. Llamé a mi casa para que prepararan la comida. Llamé a casa de Owen. Me atendió Brenda. Aceptó la invitación. Antes de subir al carromato de Giles observé, atónita, una larga cola de mujeres y niños sonrientes esperándolo afuera. Entonces deploré sentir, en lugar de vergüenza, orgullo. Todas esas personas me miraban con envidia, como si yo fuera realmente la amiga de la máxima estrella del circo. ¡Qué espanto! ¿Qué hubieran dicho las Marías y los Alejandros? Esperé a que Giles se cambiara y se perfumara. Su conocimiento del mundo era exhaustivo. Tiraba la ropa de trabajo por encima de un pequeño biombo. Brujas, Viena, Odessa, Brasil, Perú, México, Nueva York. Emergió del biombo, triunfal y elegante. Con un traje gastado pero digno. Se había puesto una corbata gigantesca y ajustaba una florcita blanca en el ojal. Volvió a perfumarse. «¿Qué tal?», preguntó sonriente. No le respondí. Lo insté a retirarnos. Tomamos un taxi y, momentos después, llegamos a mi departamento.

Brenda y Owen nos esperaban sentados en el sillón. Brenda estaba especialmente rubia esa noche. Se había maquillado y el maquillaje atenuaba sus rasgos. Miraba a Owen, divertida. Cuando nos vieron entrar no demostraron sorpresa alguna. Owen me miró como si nada extraño pasara y Brenda tuvo el descaro de guiñarme el ojo a hurtadillas. Giles se presentó con una reverencia y se paseó por todo el living. Era locuaz y no paraba de fumar. Me acostumbré, rápidamente, a verlo allí. Había algo que me molestaba, me irritaba. Brenda y Giles se miraban como si compartieran un lenguaje particular. Un lenguaje que ni Owen ni yo podíamos entender. Pero se trataba de un código fraternal y amistoso, de ninguna manera galante. La naturalidad con que Owen sobrellevaba la situación me pareció prácticamente absurda. Nos sentamos a la mesa. Dispuse que Brenda y Giles se ubicaran uno al lado del otro. Comían con velocidad, a pequeños bocados. Hacía calor. Encendí el ventilador. Las hélices nos daban sombras cinematográficas. Giles disertaba sobre los públicos de distintas naciones. El argentino, aseguró, era cálido, como dicen todos los artistas. Una ráfaga de ira inexplicable me invadió. «A mí no me gustan los circos», dije. «A mí tampoco», respondió Giles sonriente, «odio ir al circo.» Todos celebraron la respuesta. Yo me abstuve de emitir sonido alguno. Entonces sentí que la suela de un zapato me rozaba las piernas. Tomé un sorbo de vino. Se me erizaron los pelos, se me voltearon los ojos, se me debilitaron las piernas. El maldito vino, el terrible Giles.

Antes de que una involuntaria sonrisa se posara en mis labios, me paré acusando la inminencia de una jaqueca y me dirigí al balcón. Me apoyé en la baranda, cerca de las azaleas, y sentí los pasos de Owen a mis espaldas. Me di vuelta. Owen me miraba como sólo pueden mirarse las personas que se conocen hace mucho tiempo. Mirada de familia. Sus pupilas estaban dilatadas y tenía un gesto comprensivo que, inexplicablemente, me irritó. No hablamos. Pero recordé cómo me miró cuando yo le pregunté por qué se había enamorado de Brenda. Lo que entonces había sido indescifrable para mí, tomó consistencia real y se instaló, con certeza y puntualidad, en mi cabeza también. Comprender lo que nunca había comprendido me hizo terriblemente mal. «¿Viste?», fue todo lo que dijo Owen, posando su mano poderosa sobre mi hombro. Una lágrima traidora me vino a los ojos. En el comedor, Giles y Brenda brindaban con champagne. Sus risas se perdían en la inmensidad de la sala.

EROS BIFRONTE

Rosa Chacel

Un hecho pasajero transfiguraba, a veces durante unos minutos, nuestro panorama cotidiano. Su hechizo, tan sugestivo como el de un incendio, no era más que el brillo refulgente con que emerge de la monotonía todo lo que es amenazado por un elemento destructor. Se trataba, simplemente, de los gavilanes que venían a última hora de la tarde a cazar palomas sobre la Facultad de Derecho.

Los estudiantes que salíamos de clase y nos sentábamos en el bar de enfrente, la gente que pasaba por la calle, la que esperaba el tranvía parada en el refugio, todos levantábamos la cabeza y contemplábamos la lucha entre aquellas dos diferencias nacidas la una para la otra.

Puedo jurar que en presencia del hecho no lo profané nunca con reflexiones literarias. Es ahora, al hacerlo constar, cuando tengo que expresarme con el lenguaje que me corresponde, esto es, el lenguaje de quien algo tiene que ver con los libros, pero mi intención es únicamente poner de manifiesto la fascinación que nos

detenía en medio de la calle a mí y a otros; junto a mí, al hombre que para levantar la cabeza tuvo que dejar en el suelo el canasto de pan que llevaba al hombro.

Los aguiluchos volaban tendidos en sus rutas con rigor, apenas movían la cabeza para vigilar con ojo implacable los movimientos de las palomas; las palomas se agolpaban en los escondrijos que el edificio les ofrecía, se arracimaban bajo las cornisas o en los agujeros dejados por el andamiaje, allí donde sus crías piaban aleteando en lo oscuro, después se desprendían y caían desparramadas por el aire, tan torpes y tan sin rumbo en el primer momento que parecían fluctuar como cuando se tira de un puñado las hojas de una rosa, pero en seguida el bando se recomponía, se aunaba como si encontrase su norte, y todo él acorde describía una curva que se alejaba y volvía al punto de partida, escondiéndose de nuevo en sus refugios.

Seguramente a aquella misma hora estarían, lejos, en el campo, levantándose y abatiéndose sobre la inmensa extensión de los pastos, bandos de torcaces acosadas por idénticos gavilanes, pero allí, en medio de la ciudad, aquellos pájaros, más que venidos del campo, parecía que cumpliesen una migración secular. Las ojivas de la Facultad se liberaban por su presencia de la materia deleznable en que estaban inscriptas y quedaban en pura forma o más bien en pura idea: la idea arquitectónica se hacía eficiente y comprensible como la palabra *eternidad*, aun escrita en el barro.

Repito que sólo intento traducir la emoción que detenía a los hombres de la calle, a todos y a cualquiera de ellos, sin inculparles de evocaciones históricas, pero

106

para la magia de ciertos signos no existen analfabetos, y la escena cruenta estaba engastada en un cielo cuya limpidez brillaba, invulnerable como un escudo. Los ruidos de la vida urbana no llegaban a la zona donde los gavilanes pasaban rompiendo el aire con sus frentes y las palomas agitándolo con sus corazones, y todo ello era como el pendón de un siglo que no había puesto la planta en este suelo.

No llegamos nunca a presenciar el desenlace, pero no se trataba de eso, lo importante era que se inflamaba de pronto lo inesperado sobre el vapor de lo cotidiano, y todo lo que de ordinario era oscuro quedaba iluminado, porque lo más grave de la monotonía es que produce la ceguedad que, aunque estemos en la misma luz, no vemos, y no creo exagerado decir que sólo a la luz de esos intermitentes chispazos se puede comprender el mundo.

La monotonía de aquellos años de la Facultad tenía, naturalmente, sus momentos cenitales y sus crepúsculos, sus zonas desérticas, sus florestas y sus blancuras boreales: elementos que lo mismo se eslabonaban en unos meses que en unos minutos, porque el tiempo en cada gota de su sangre lleva la rosa de cien hojas, el microcosmos con todas sus bellezas, leyes y horrores planetarios. Pero no basta en este caso con decir: aquel tiempo era monótono, o, los minutos pasaban como siglos, porque su monotonía estaba, como la de las mareas, sometida a la influencia de los cuerpos distantes, más o menos próximos, más o menos benignos o adversos, y aludirla es poco, describirla es demasiado. Aun encontrando una fórmula de dimensiones tole-

rables que diese idea de su gigantismo, necesitaríamos emprender un largo relato de hechos reales y no es este el propósito. Así, después de haberla encomiado, bastará con señalar unos cuantos detalles topográficos del cauce por donde corría.

De los puntos más importantes uno ya va mentado: la salida de la Facultad; otros eran el tranvía hasta el puente Saavedra, una azotea sobre la Recoleta, un bar y repetidamente, cotidianamente, fundamentalmente, el tranvía.

En suma, entrábamos en clase, salíamos de clase, y todavía por los pasillos se mantenían al sesgo, hasta declinar en el olvido, algunas de las teorías escuchadas: igual que el sol que iluminaba las aulas, y por las puertas entreabiertas se escapaba en rayos oblicuos hasta extinguirse en el claustro. Pero las preguntas y advertencias relacionadas con la vida real, con las preocupaciones personales, se imponían antes de llegar al pórtico, y al bajar el último escalón ya nos sentíamos libres de la carga liviana del estudio y cargados de nuevo con el peso incierto e incalculable de la vida.

Yo me había creado un estado transitorio en el que no me dejaba invadir por preocupaciones de ningún género: ni la vida ni el estudio ocupaban mis pensamientos mientras iba en el tranvía. El enorme trayecto desde la Facultad hasta mi casa era como un largo poema con estancias numerosas dentro de un ritmo continuado: ruedas de hierro sobre vías de hierro y la calle pasando, la ciudad transformándose con sus diversas escenas y sus cambios de luz. Siempre miraba al pasar el fondo oscuro de un taller donde se amontonaban

hierros y neumáticos viejos y miraba intensamente la profundidad de aquel antro procurando oír una nota luminosa que a veces vibraba dentro: era el golpe del martillo en el yunque, frecuente, breve y neto, como el grito de un pájaro, brillante como una chispa de sonido que se encendiese en el corazón de la oscuridad. También miraba por una puerta casi siempre entreabierta un patio largo de paredes rosadas, con una parra al fondo, miraba el escaparate de un restaurante donde el asador giraba sobre las llamas. Luego venía la casa gris con reloj en la puerta donde los tranviarios efectuaban sus relevos. Luego la cárcel, la fortaleza ocre, almenada; en primavera la pendiente que la rodea cubierta siempre de gramíneas ligeras que brillan al sol como una pelusa sedosa. Luego, la verja del Jardín Botánico. Al entrar el tranvía en la zona sombreada por los árboles, mi ensoñación sistemática alcanzaba su cúspide: un túnel de verdura, una perspectiva de glicinas enlazadas a los troncos oscuros y de cuando en cuando, un claro, una irrupción de la luz que pasaba entre los árboles como un cuerpo blanco. Todo el tiempo que duraba el paso por el jardín yo repetía mentalmente, como quien repite una oración, unas palabras. Pero, no puedo decir que las repetía: las contemplaba, porque era como si aquellas palabras apareciesen en mi pensamiento una sola vez y eran muy pocas, era una frase del Corán muy breve, que se ponía delante de mí y duraba todo el tiempo que duraba el paso por el jardín. Las palabras eran estas: «Allí encontrarán mujeres puras y umbrías deliciosas». Aquellas palabras, como el presentimiento de una fuente, eran un espejismo de la sed. Luego

el jardín terminaba y la plaza Italia se abría como un gran desamparo.

Yo me sentaba siempre que podía en el primer asiento de delante, del lado izquierdo; me abstraía en aquel rincón, de espaldas a la gente, y el trayecto, que muchos encontraban pesado e incómodo, a mí me resultaba penoso verlo terminar. Cuando las casas iban menguando de tamaño, iban haciéndose más ralas y más humildes, sentía siempre la angustia del próximo descenso. Llegar a la parada del tranvía era entrar en la prosa, porque había siempre un ajetreo en Saavedra, una actividad pequeña y ruidosa bajo el sol implacable que me hacía correr casi extenuado las tres cuadras que me faltaban hasta llegar a casa. Que esto no pueda parecer excentricidad: los días de lluvia, que todo el mundo lamentaba, para mí eran los más llevaderos y chapoteaba con gusto en el barro defendido por las nubes de aquel sol amarillo que otros días afilaba sus uñas en medio del cielo.

La lluvia me gustaba hasta cuando nos interrumpía la vida. Aquellos días en que el aguacero llegaba a dar pretexto para hacer algo diferente, cruzábamos corriendo al bar y comíamos lo que nos preparaban; bebíamos cerveza durante horas, confinados allí por la cortina de agua que a veces amenguaba como si fuese a parar, pero antes que llegásemos hasta la librería próxima volvía a arreciar, cubriendo el tiempo, llenando las cuatro horas que separaban las clases de la mañana de las de la tarde, como si el tiempo mismo encontrase en ella su más perfecta exposición.

Entonces brotaban las largas discusiones, los temas sociales en los que cada uno ensayaba su esgrima profesional, y entonces era cuando yo veía que no tenía aptitudes para aquella profesión. Congeniaba sólo superficialmente con mis compañeros, y prefería otras amistades más afines con mi naturaleza. Iba con frecuencia a casa de un arquitecto que tenía un estudio en un piso alto detrás de la Recoleta, y allí, en el invierno, junto a la chimenea, en el verano en la terraza, hablábamos a fondo noches enteras. No es que hablásemos sin parar toda la noche: a veces no pronunciábamos más de una docena de palabras, pero esas palabras eran algo.

Confesaré que casi siempre hablábamos del amor, o acaso sea más exacto decir que siempre hablábamos del amor, porque no hablábamos nunca más que del amor de algo. En general hablábamos poco, porque éramos hombres de acción, y nuestra pasión por la acción, nuestro convencimiento de que el amor es acción, de que la acción es la razón del amor, nos llevaba a no hacer nada, a vivir como seres dados a la contemplación. Esto es lo que creía todo el mundo, que éramos contempladores, y no comprendían que lo que contemplábamos era la acción. Los dos sentíamos una repugnancia invencible por los trámites, por la cadena de contingencias que fatalmente liga, estrangula y deforma los actos humanos hasta convertir en monstruos ineptos a las criaturas del más puro impulso, hasta dejar irreconocibles los actos que germinan en el seno de la inspiración.

Este era nuestro tema, y como nuestras opiniones coincidían radicalmente no teníamos nunca que aclarar

o subrayar una divergencia. El amor, acto volitivo, tal como nosotros lo veíamos, era una onda, una emisión de energía que corriendo por los brazos los alarga en un anhelante magnetismo, hasta que logran cerrar el circuito dejando dentro a su objeto. Igualmente, el impulso creador no reposa hasta que el hombre tiene entre sus manos la cosa hecha.

Habrá quien piense que estas eran nuestras teorías, pues no, esto era nuestra vida. Aquí va expresado con el esquematismo imprescindible para que no parezca divagación confusa, pero no puedo decir que allí lo expusiéramos o lo razonáramos: allí lo aullábamos. Acaso las noches de invierno dominados por el halago de la chimenea lo gruñíamos lacónicamente, pero en el verano acodados en el barandal de la terraza, perdiendo la mirada por las calles pulcras de la Recoleta en sombra, dejábamos escapar la efervescencia de todas nuestras represiones, y no sólo de las nuestras, de las de todo lo que se desangra en los cauces pedregosos de la vana dificultad, de todo lo que se pierde en las vías muertas de lo contingente. Maldecíamos, con terribles maldiciones, que eran aun más graves por ser pronunciadas sobre la ciudad de los muertos, la máquina espantosa que tritura el alimento para la antropofagia social. Maldecíamos cada uno de los voluntarios dientes de sus engranajes y llorábamos por el amor que no llega a alcanzar su meta, que se disipa en sortear los obstáculos, que encanece y caduca antes de salir del laberinto en que los hombres, nuestros hermanos, lo encierran para que muera o desfallezca en el tiempo que va del deseo al abrazo, de la idea a la obra.

Estos, más o menos, eran nuestros aullidos una noche calurosa de noviembre, ya casi al alba. Sobre las cúpulas de los panteones, sobre los ángeles solemnes empezaba a clarear el cielo color turquesa, y la calma del aire, la limpidez de las estrellas y la media luna, hacían presentir un día abrasador.

Así fue. El principio de la mañana se desenvolvió normalmente oprimido por la ola, y al dar las doce salimos, o más bien entramos, en la llama que ardía en la calle. Subí al tranvía, traté de ocupar mi puesto habitual, pero en el primer banco, junto a la ventana, iba sentada una colegiala, una muchachita de unos diez años que parecía inglesa: me senté a su lado y fui deteniéndome mentalmente en los puntos de mi itinerario porque la luz me obligaba a entornar los ojos. Los abrí al entrar en la fronda del Botánico y me pareció encontrarla como repelada por la sequía; todo allí era aridez y monotonía polvorienta. Cuando el tranvía rodaba chirriando por Cabildo, la avenida parecía haberse ensanchado, parecía que iba a llegar a ser una alta mar de fuego donde no se divisasen las orillas, y me faltaban las fuerzas hasta para desear que terminase el trayecto: me puse a contar las cuadras que faltaban. Creo que eran seis cuando empezó a inquietarme una discusión violenta que habían armado dos hombres en la plataforma de detrás. Las dos voces groseras, atropellándose una a otra, sobresalían por encima del ruido del tranvía y de las otras voces que intentaban apaciguarlas. Procuré desentenderme de ello y pasé una cuadra sin prestarle atención, pero el rumor fue aumentando y el tranvía también aceleró la marcha porque en las

últimas paradas ya no esperaba nadie, y el conductor procuraba llegar pronto al final para que terminase el escándalo. No pude menos de atender, volví la cabeza y acabé como todos los demás poniéndome de pie. Entonces empecé a entender las palabras, aunque sin comprender el sentido de la discusión. Parecía haber empezado por un pretendido empujón, por el supuesto proceder desconsiderado de uno de ellos, pero las explicaciones se transformaron en insultos, palabras brutales de agresión y respuestas provocativas que no sólo devolvían el insulto recibido, sino que incitaban y pedían otro de vuelta, y el otro brotaba y obtenía su respuesta rápidamente. El tranvía volaba, no creo que durase todo ello más de un par de minutos, pero tuve tiempo de apreciar la evolución de los improperios: al empezar aludían al hecho sucedido, después a la conducta, después a lo que la conducta denotaba, llevando así su agresión a la persona moral –aquí las provocaciones al valor, a la vergüenza...–, y al fin haciéndose tan carnales que no apuntaban sólo a sonrojar la piel, sino a revolver el humor de las entrañas.

No pudieron contenerles, la furia de los golpes que se asestaban desbordaba de la línea en que iban dirigidos y los que intentaban sujetarles fueron rechazados por el sobrante marginal de su violencia. El conductor frenó alcanzando al fin la última parada, pero antes de que el coche se detuviese enteramente el último golpe mandado por uno de ellos arrojó al otro contra un asiento, dejándole tendido en el suelo con la sien partida.

No me fue posible acudir porque la gente se agolpaba en el pasillo tratando de salir por delante, pero

tampoco podía permanecer en mi sitio porque la pequeña que venía a mi lado se debatía detrás de mí, enloquecida, con la brusquedad rígida de un insecto aprisionado. Traté de calmarla, pero sus bracitos crispados se abrieron paso con tan ciega decisión como si pretendiese pasar a través de mi cuerpo. Con el impulso de su movimiento, su melena rubia, lacia, muy larga, me azotó como un fleco y se me enganchó en los dedos de la mano que alargaba hacia ella: dio un tirón y salió.

El tranvía se quedó vacío y yo lleno de perplejidad me dejé caer en el asiento. Mientras tanto, habían acudido unos agentes y entre varios se llevaban a los dos hombres. La cabeza del herido, acaso muerto, iba dejando un reguero de sangre; al otro le sujetaban entre dos y le llevaban casi en vilo. Ciertamente, el hombre que iba inerte era el vencido, pero en el otro había también una actitud de entrega, como cuando se ha llegado a un verdadero punto final. Los que le llevaban le sujetaban por los brazos y él echaba la cabeza hacia atrás con el cuello hundido entre los hombros, pronunciaba palabras que yo ya no oía, pero veía sus gestos, su abandono, su descanso. Aquel trozo de calle que otros días habría remontado al volver del trabajo con un último resto de fuerzas corporales y acaso sin ánimo para comprender el sentido de su ir y venir, ahora pasaba ligero bajo sus pies, con la ligereza de lo irreal, porque marchaba enajenado por la realización de su impulso. Las gentes que hormigueaban en la calle, unas se unían al grupo que se alejaba con ellos, otras les miraban sin acercarse, pero

la atención de todos confluía en la corriente pasional que habían levantado.

Yo seguía asomado a la ventanilla del tranvía que guardaba aún la estela de la violencia: un ligero olor a polvo como el que queda en las clases cuando los chicos salen en tropel, una nube muy tenue de partículas levantadas del suelo por los desatalentados pasos, que tendía a escaparse por las ventanillas abiertas y brillaba al sol, una nube dorada que, como las miradas, como los corazones de todos, iba hacia ellos, hacia los que habían abierto una ruta de emoción con su arrebato, y, bajo el cielo azul del mediodía, sobre el cortejo que se alejaba vi condensarse en aquella nube que los seguía la forma de una deidad radiante. Su cuerpo de fuego pasaba por el espacio como una llama contra el viento y el puñal que llevaba en la mano era aun más fúlgido, como el punto que en la llama misma parece a veces el núcleo de su ignición. Sus terribles miradas centelleaban bajo los rizos de su frente. Iba como una ráfaga, la cabeza levantada en un gesto soberbio, pero por detrás de su cabeza no continuaban los rizos fulgurantes: otra cara dulcísima iba abatida y traslúcida como un fuego que va consumiendo su esencia, iba melancólica, exánime, desesperada, y en ella pude reconocer la cara anhelante, ávida, ansiosa del Amor.

La visión fue muy rápida, pero pasó por mis ojos como una antorcha llevada a la carrera, y no sé si fue su fuego o la onda emitida por mi corazón lo que me quemó la frente. La estela abrasadora se deslizó por mi piel y seguí inmóvil contemplando aquel campo de guerra.

Vagamente como un eco débil de mis sentidos conservaba en mi mano el contacto del pelo sedoso que se había deslizado entre mis dedos. En el momento del sobresalto, del agolpamiento en la puerta, de la lucha por la salida, la melena de la muchacha frágil e irreductible se escurrió de mi mano que quiso sujetarla: era un ser vivo que había intentando sujetar y el recuerdo de su pelo tibio y suave me había dejado en la mano una sensación como si hubiera querido sujetar un chorro de sangre.

Durante un largo rato no pude arrancarme del asiento. Aquel triunfo de Eros que había presenciado, aquella apoteosis del contacto, aquella simultaneidad de la intención y el hecho con sus consecuencias últimas era lo que anhelábamos los que llevamos dentro como un torrente la voluntad de amor. Eso es lo que queríamos los que pasábamos por contempladores: la rapidez de la flecha. No el tanteo ni el bandazo ni la carambola como los que viven para los trámites; queríamos que la vida brotase tan rápida y definitiva como acaece la muerte; queríamos que el acto creador fuese tan inmediato y tan idéntico al deseo como es el acto destructor. Pensé entonces que acaso por eso, por ser tan difícil lo uno y tan fácil lo otro... Pero con su carga de hombres libres: voluntades en cuyo albedrío hacen eclosión los más fragantes deseos; cuerpos donde los deseos se revuelven como fieras enjauladas.

No

Antonio Di Benedetto

Más puntuales los sueños que los recuerdos, me visitaron para decirme que, por tercera vez, se cerraba el cielo de los años de su ausencia.

Comencé a sentir el día como una carga, melancólica, dolorosa.

Debía esperar la noche para la conmemoración solitaria y el ritual sencillo de mi culto de amor.

En la mañana me ordenaron ir a una oficina pública que tiene, delante, un jardín de césped y una reja de barrotes finos. Mientras aguardaba el curso interno de unos papeles, me entretuve en caminar por el sendero enripiado.

Acompañada de una niñita con el asombro de la orfandad recién asomada al mundo, llegó una monja y, al pasar hacia el edificio, detuvo su mirada en mis ojos. Estuvimos cerca, el uno del otro, y pude percibir su bozo muy fino y un lunar pequeño, marrón claro, también sobre el labio. Ella era joven y no sé si su mirada removió mi tristeza o la nostalgia de aquel cariño que era como no tenerlo, porque nació a destiempo.

Cuando la monja se retiraba, y esto ocurrió enseguida, yo la miré intensamente. Ella me devolvió una mirada clara, limpia y lejana, Salió a la vereda, caminó a lo largo de la reja, pasé la calle y se alejó, sin volver nunca la cabeza.

En la noche caminé hacia la estación del ferrocarril. Puede parecer un extraño lugar para mi ofrenda. Ah, es que soy capaz de construir mis sentimientos en silencio y también en la soledad. Pero algo es preciso, para fundar una memoria, y de ella tuve esas manos que se tomaron de las mías, aquella noche, cuando el tren partía.

En la noche del tercer aniversario, en medio de la turbulencia de los andenes, no podía musitar la frase de ternura que tengo pensada para ella. Porque para decirla, en fugaz –tal vez milagroso– estado de pureza, debía concentrar y aislar todas las fuerzas de mi emoción y de mi pensamiento.

Subí entonces al puente elevado por donde la gente pasa de una plataforma a otra, por encima de los trenes. Era una noche fresca y el puente, como una caja oscura, parecía deshabitado. Hice los tres tramos de la escalera y arriba encontré a una mujer en actitud de espera. Aunque yo podía ganar la soledad en el otro extremo del puente, me molestó descubrirla, porque me infundía esa perturbación que da la evidencia de que también existe, en la relación con las mujeres, el deseo. Y no era el momento de acceder a lo que ocurre todos los días.

Descendí los tres tramos de escalera de la parte opuesta. Hice el trayecto de la segunda plataforma hasta donde traban su extensión los rieles.

Regresé. La mujer seguía en el mismo lugar. Desesperanzado de darme con el momento propicio al recogimiento, cerré los ojos y dije su nombre, muy quedo: «Amanda...», y pronuncié las palabras rituales que para ella tenía cinceladas. Pero aun sin ver lo que discurría en mi contorno, me distraje y no logré la comunión ilusoria que otras veces había alcanzado.

Empecé a caminar los pasos del regreso. Apareció un hombre y la mujer se reunió con él. Bajaron delante de mí y se mezclaron con la otra gente que hay en el mundo.

¿Había pasado, se había perdido el misterio de la evocación?

Oh, sí, se estaba diluyendo en mí a medida que andaba, al reintegrarme al corazón de la ciudad. Porque luego de unas cuadras prevalecieron las voces exteriores. Llegaron primero de tres mujeres que habían terminado su servicio en la cocina de un restaurante. Lo decían. Dos hablaban y la tercera cantaba, bajito, para ella sola. Y pensé que la tercera, la que cantaba, estaba disfrutando como nadie la dicha de haber terminado un día de trabajo.

Después me reconoció un amigo. Y me habló. Y hablé.

–¿Cómo estás?

–Bien.

–Me alegro.

–¿Y vos?

–Bien.

Nada más porque se fue corriendo a tomar su ómnibus. Pero yo estaba de nuevo en comunicación con los

demás. Aun ante mí mismo, volvía a ser como todos los hombres.

En un quiosco compré caramelos de leche. Eran para los hijos de mi hermana, sólo que al llegar a la casa supe que estaban durmiendo. Ella trabajaba y el ruido de la máquina de coser era la única voz no acallada del hogar. Se los dejé cerca de la mano.

Ella, que había suspendido la costura para recibirme, dándose vuelta me miró con humildad y gratitud. Me dolía que me agradeciera cualquier cosa, aunque fuese con los ojos. Desde dos años atrás estábamos tan solos, ella, yo y los niños, que no podía pensar en nosotros sin definirnos como una pequeña comunidad obligada por las necesidades y naturalmente dispuesta por los sentimientos.

«¿Estás cansado?», me preguntó; yo dije «Sí», y ella repitió «Sí. Estás cansado». Lo decía con un acento tan doliente, tan dolido por mí, que pude percibir su ala protectora.

Entonces comprendí que con ella podía hablar de Amanda, esa noche, porque de pronto volvió mi nostalgia. Y la nostalgia se debatía con cierto orgullo, el orgullo de poder confesar un amor tan callado y tan desprovisto de futuro. Pero no hablé.

Cuatro días después, al regresar a casa para el almuerzo, en la máquina de coser, que a esa hora descansa, en el lugar donde yo había puesto los caramelos, me esperaba una carta con mi nombre.

Era de Amanda y era la primera carta de Amanda que en todo el tiempo de mi existencia había llegado

a mis manos. Era de Amanda. No precisaba abrirla para enterarme. Sabía todos los detalles de su letra. Conservaba entre mis papeles una hoja de block con una tarea escolar que me prestó y nunca le devolví, por distracción, por olvido, por no sé qué, porque en la etapa del colegio nunca pude sospechar que llegaría a amarla, y tanto.

«Querido amigo:...» Un trato tan común, y no lo era para mí, porque yo estaba pleno de anhelos y presentimientos. Me decía que había suspendido los estudios a la altura del penúltimo año de la carrera. Había dejado el estudio para casarse, en el otoño anterior.

Yo lo sabía. Lo supe todo cuando ocurrió, y no lo supe por ella. Vino un compañero. Contaba de ese noviazgo de la amiga común y yo lo escuchaba como si esa existencia fuera algo absolutamente ajeno a lo que podía interesarme. Pero me retiré como de regreso de una batalla en la que hubiera sido derrotado. Nunca hubo esa batalla, sino en mi interior.

Un tiempo, ofuscado por la inminencia de la pérdida, me dediqué a confabular. Urdía planes para impedir ese matrimonio. Nunca el más simple: decirle a ella lo que me pasaba. Es que era aún el tiempo en que yo temía las responsabilidades profundas.

Acaté entonces la convicción de que ese matrimonio tenía tanto de terrible como de inevitable.

Cuando supe que el casamiento estaba consumado, me conformé con la fe de que su imagen de muchacha, de novia que no fue mía, seguiría perteneciéndome, siempre.

Consagré a ese credo la parte secreta de mi corazón, mientras paradójicamente la vida me convertía, en el

123

hogar de mi hermana viuda, en una especie menor de buen padre de familia.

Nada, en la carta, me autorizaba a pensarlo; no obstante pensé:

«¿Por qué *ha necesitado* escribirme?»

Escarbé en esa sospecha, favorecí en mis cartas una confesión, pero ella nada revelaba con palabras. Sin embargo, jamás mencionaba al marido, como si no existiera, y si mis cartas eran dos en una semana, dos eran las suyas, y si eran tres, tres igualmente las que el cartero traía, y era la respuesta tan veloz, tan escrita con mis papeles recién leídos, que ya lo nuestro constituía un vívido diálogo.

Y en una noche de exaltación descolgué, del recinto de mis sentimientos más cuidados, una verdad de amor. Escrita en el papel, era como si ya no me perteneciera, y fuera de Amanda. Puse el papel en un sobre. Lo llevé, esa misma noche, al correo central.

No podía concederme oportunidades de arrepentimiento.

Esperé tres días, cuatro, la espera habitual. Tuve que sufrir todos los instantes que forman un día más. La carta llegó, y supe que mi declaración no suscitaba ni la aceptación ni el reproche.

Rogué, entonces. Le rogué que me dijera algo, aunque fuese la palabra de la condenación y el olvido, pero que diera firmeza a mi posición sobre la tierra, a tal extremo dependiente de ella.

Vino a mi casa, a los tres días, un sobre con un pequeño retrato, la figura que alentaba en mí, con ese encanto de lo ideal que cuesta lucha de sangre que no se ve.

¿Era la respuesta? No acepté desvanecer la esperanza.

Quedó en suspenso el diálogo, por mi voluntad y mi silencio, hasta asegurarme la posibilidad del viaje: el permiso en el empleo, el dinero necesario, el boleto adquirido, con la certeza de una fecha determinada.

Nada le pedí, a nada podía comprometerla. Sólo que me esperara, y no al descender del tren, que tan lamentable presencia deja a los viajeros; no en su hogar ni en un lugar secreto; que antes de mi partida me dijera, con dos líneas, una hora y un lugar.

Me esperó, en su ciudad, en un paseo que tiene un respaldo de árboles altos como las trincheras de álamos de mi provincia, más corpulentos. Cuando lo conocí, al llegar, me alegró con la sensación de sentirnos, para un acontecimiento vital, en un paraje dotado de los caracteres que posee la grandeza.

Estaba allí, en una terraza todavía solitaria, con veinte o treinta mesitas de confitería, que era el sitio designado para el encuentro.

Sin nada que se interpusiera entre nosotros, sino unas cuantas, desatendibles mesas desocupadas, se me reveló su presencia, dulce y grave. Me recibía sin expansiones, como lo hacen en las estampas algunos santos que acogen a los niños, con esa bondad y esa paz de los sin pecado.

¿Cómo hablar?, me preguntaba yo mientras sentía que mi cuerpo estaba avanzando. ¿Cómo hablar a ese rostro, a esa mirada? ¿Cómo elegir palabras, cómo pensar palabras...?

Ella permanecía en la silla y por encima de la mesa quedaban recortados el busto sereno y el rostro noble

de la bienvenida. Yo estaba blandamente gobernado por una emoción nueva, que me vedó llegar del todo a su lado, haciéndome caer en la silla de enfrente, mesita por medio de los dos. Dije dos veces su nombre predestinado: «Amanda... Amanda», y tomé su mano, que estaba en descanso sobre la blancura del mármol.

¡Ah, Dios mío!, cómo se conmovió de verme así. En sus ojos nació una lágrima tan discreta que no cayó del párpado. Y repetí su nombre, que era como nombrar el amor. Y ella tuvo que decir mi nombre, porque le venía de adentro, lo sé bien, puesto que se le quebraba en la boca con un sollozo. Y me dijo, ¡ah, me dijo!, «querido mío», y sollozaba.

Yo me arranqué de la silla y, al llegar a ella, ella se ató para darse a mis brazos y decir, decir: «Querido mío, querido mío...».

Pero era la voz con que se nombra lo muy amado que está perdido y en mi abrazo quise preguntar, con desesperación, por qué, hasta que en el abrazo mismo percibí su cuerpo combado desde abajo del pecho, marcando entre nosotros una separación irreparable.

Nos dimos, después, la hora más bella y más triste de mi vida. Pero sin lágrimas. Al despedirnos, posé mi mano sobre la suya, que reposaba sobre el mármol de la mesita; la apreté fuerte, muy fuerte, y nos sonreímos, el uno al otro, con amargura y con valentía.

CONSEJA

Emilio S. Belaval

El cuplé de la pulguita empezó a labrar la desgracia del buen hospedero. Cada noche la moza se subía más la falda en busca de la mimosa pulguita y crecía el ardor del corralón de la Caleta. En nombre de la moral cristiana, el Coadjutor solicitó el desalojo de la cupletista. La moza tuvo que darle la vuelta a la catedral y arrojarse en los brazos de la calle de la Luna. En la casa de los dos zaguanes la recibieron la primera noche, viéndola tan llorosa de cara y arrogante de busto, pero a la mañana siguiente, el Padre Caneja ordenó que la cupletista siguiera calle abajo. El empresario se ofreció a buscarle alojamiento en algún sitio respetable hasta conseguir el perdón de la Iglesia. Era garrida la moza, con su falda de compánula y su pata de payesa y aquellas pestañas de muñeca, más diestras en el garrotín que en el volapié.

La Hospedería del Francés estaba destinada a servirle de escenario a un suceso del cual habría de hablar la gente luengos años. La primera atracción del establecimiento era el talante galano del hospedero: un pulido cincuentón con bigote de lechuguino y cierta discreta

obesidad cabalgando sobre unas nerviosas piernas de caballista. La piel de su cara conocía todos los frascos de tocador de la peluquería «La Gran Fortuna» y su aliento recogía perfumes de una caja de pastillas con gominas de violetas.

Cuando la cupletista cruzó la cancela de su hospedería, el francés se inclinó ante ella con la serena cortesanía que puede lucir en una ocasión memorable, una raza acostumbrada durante toda su historia, a bregar con pasiones inmortales. Aquella no era la visita de un ser terrenal largamente estropeado por la malicia de una pulguita trepadora, sino la aparición de un ser ideal, en trato secreto con la diosa del amor. Por unos momentos contempló a la beldad con el deleite propio de un antiguo paseante del Museo del Louvre. La cupletista era una pieza magnífica, y aunque un poco oscurecida por las modas españolas, capaz de convertirse en una gran dama. Con peor talle y pestañas más cortas había llegado a Emperatriz de Francia, Eugenia de Montijo.

El buen hospedero no cejó en las zalemas y postines hasta dejar instalada a su huéspeda en el rincón más umbrío de su hospedería. Los jazmines de una tupida enredadera caían sobre las almohadas de la durmiente y la opacidad de las persianas le permitían a una deidad en refajillo dormir su siesta sin ser perturbada por algún ojillo avieso. Después de colocar en el velador su único florero de cristal tallado, el hospedero bajó a la floristería china del Paseo de la Princesa a comprarle a su huéspeda un ramo de claveles. Esta irrupción novelesca del ramo de claveles en un cuento supuesto

a ser verídico, no podría explicársela el lector si no recuerda que la Hospedería del Francés estaba ubicada en la calle de la Luna.

Calle Luna ha sido siempre el reducto lírico de la Plaza Fuerte; calle artesana y fantasmona, con tres casas de murciélagos y dos casas de aparecidos. Hasta hace poco, decían los vecinos de la calle de San Francisco, que a pesar de sus sombrererías de copa, calle de la Luna era una calle chata, buena para puertas de cocheras y portillos de hortelanos y los de la calle del Sol añadían que el humor sublunar sólo le sentaba bien a los entresuelos de entretenidas. Cualquier otra calle se hubiera ofendido ante tales menosprecios, mas la genial calle de la Luna, no le hacía caso al chismorreo de sus hermanas: ella era la puerta chica de una catedral, y con su gracia de rapaciña, había logrado subírsele a las barbas a San Cristóbal.

Cuando los relojeros catalanes lograban ajustar el horario de la plaza, los árabes, con sus ojos de tórtola, levantaban una cuadra entera y se la llevaban en sus hules caravaneros. Las otras cuadras podían entonces dedicarse a sus sedentarios menesteres; la más cercana al atrio se poblaba de beatas jóvenes en busca de novenas de San Antonio; la fronteriza al Consulado de Alemania le abría sus fondas opíparas a los mayorales y muleros que venían tras su caldo de tigre y sus buches de bacalao; la reclinada sobre la Barandilla temblaba bajo el taconeo de los tenientillos del Cuartel de San Francisco; la que se ocultaba del Cuarto de Vigilancia empezaba temprano a aderezar sus trenzas con flores de cañandonga.

Era una calle levantisca y conspirona. En ella tenía el Teniente Alcalde una jaula de turbamultas y tumbadillos; la teosofía una imprenta; el sánscrito una academia. Los masones habían horadado todas las medianerías, y desde la época de los compontes, en la calle de la Luna, se podía andar lo mismo por la tierra que por el aire. Los zapateros de los sótanos leían el *Diccionario Filosófico* y las *Reflexiones de un Paseante Solitario*. Si alguna puñalada inoportuna obligaba al señor Juez de Instrucción a penetrar en la calle, empezaban a moverse de balcón a balcón, las rechiflas de las cachaquitas:

–Ay, Estefanía, que anoche un hombre se me asomó por la claraboya y me tiró un gato muerto en la cama.

–Tendrás que darle parte a la autoridad.

– Me dijo el escribano que la autoridad no intervendría hasta que me tiraran un gato vivo.

Las más procaces de todas eran las hermanas Pérez Escalante –alcahuetas por detrás y chismosas por delante–, hijas realengas de un sargento español, quien dejó una impresionante historia en la Calle del Amor:

–Ay, Ursifinia, ¿qué ven tus ojos que yo no veo?

–Veo, veo, veo: un caballero.

–¿De qué color son sus ojos?

–Color carnero.

–¿Te fijaste si es lampiño?

–No, Paulona, luce una linda barba de mochuelo.

El señor Juez de Instrucción alzaba su bastón de olivo con borla de veludillo, en ánimo de romperle la crisma al ovillejo, pero el airado gesto se perdía ante

un visillo con corredera. A fin de no seguir comprometiendo su dignidad de magistrado, dejaba el arresto a ojo de guindilla.

Mas, por la noche, la luna se acordaba que aquella era su calle. Un estaño fluido y espejeante tendía su velo fantasmal sobre los techos de teja, los balcones de hierro, los arcos árabes. Había cisternas que recogían en sus aguas la visión agorera de unos cráteres azules tendidos más allá del ensueño. Viejos mitos entrecruzaban sus luces mágicas en los biombos chinos, los cáñamos bíblicos de las luces de aceite, en las panderetas béticas. Arrullos de cinco lenguas pegaban los ojos de los niños con cantos de dragones paternales, huríes de sándalo, puentes de piedra y domos de cobre, selvas negras y cisnes blancos, caballos aderezados y collares estremecidos por la danza. Hacia la media noche, la calle se tornaba cabalística y amorosa. Alguna árabe escultórica, trabajada por la guzla del viento sanjuanero, le prestaba sus ojos enigmáticos a las constelaciones vivas del desierto. Parejas del buen amor caminaban dando tumbos hacia el quemadero de las brujas. En la Hospedería del Francés, los lunares de una cupletista parecían dos insectos dorados esperando a que abrieran las rosas de una pasión.

Huéspeda hermosa, mal para la bolsa. La alcoba de la cupletista estaba ahora empapelada con paneles de amorcillos y festones de cornucopias. La huéspeda apenas recordaba ya los tiempos pecaminosos en que había sido cupletista. El francés no cesaba en mostrar inequívocas prendas de su adoración. En el paño más poblado de amorcillos del empapelado apareció ese

monumental ropero de cedro, con hojas de espejo y
cornisa de espigas, sin el cual jamás hubiera podido
escribirse la historia de una pasión crepuscular.

La primera noche, al tender la huéspeda sus toscas
camisolas de algodón y gruesos refajos de encaje de
bolillo, el ropero dio un respingo como si le hubieran
maculado sus olorosas entrañas. A punto estaba de
morderle la mano a la cupletista, cuando los espejos
tomando compasión del sonrojo de la moza, copiaron
otros encantos, no por más recatados, menos dignos de
la pintura galante. Algún sortilegio hubo de mediar en
el lance porque dentro del ropero, empezaron a aparecer chapines de raso, enaguas de nansú, manteletas de
encajes de Bruselas, gargantillas de lágrimas venecia-
nas. La huéspeda no se podía explicar aquel misterio;
registró el ropero de arriba a abajo sin encontrar otro
motivo de sobresalto que dos festivas cabezas de fau-
no repujadas sobre la tapa de un cofre de ónice; pero,
aunque no se desprendía de la llave un solo instante, y
las cuatro campanitas de la cerradura se oían por toda
la casa, el ropero seguía surtiéndose, noche tras noche.
Más por superstición que por recato, se abstuvo de usar
el milagroso ajuar.

Una noche, sin embargo, la intriga venció su superstición
de hembra romera. La intriga la produjo un corsé de raso con varillaje de plumas de faisán y forro de
gamuza, sobre el cual se encintaba un almohadoncillo
de crin de caballo brindado por veinte yardas de popelina.
Cuando asomó al espejo, se sintió morir de placer.
Mejor que moza garrida de pechos montaraces y lunares silvestres, parecía una figurina de «La Ilustración».

Al sentarse en el sofá, tropezó con un francés jadeando cerca de sus rodillas:

–¡Oh!, *madame, madame*, ¡señora!, permítame poner a sus plantas todo mi corazón de enamorado, mi mano de esposo, mi fortuna.

Las horquillas de plata se hicieron sólo para sujetar pensamientos caseros. Ahora la huéspeda es una madamita pulcra y coquetona y su marido la contempla con cierto deleite de profeta. Por las tardes hunde sus chorreras de encaje en el telar o se sumerge en la balzacia, tratando de dorar su ocio de pajarita; a la hora de la cena se despoja de sus largos mitones de encaje, antes de servirle la colación de cebollas con crema de queso, a los cuatro abonados de la hospedería –un profesor de estrategia celeste, un consignatario de pastas italianas, un contable de la Casa Hepp y un prendero filipino.

La Hospedería del Francés estaba viviendo uno de sus momentos más gloriosos. El olor de una mujer bonita camina más que la copla que la alaba, y en la tradición de las plazas artilladas, el run de las castañuelas se deja sentir sobre el estruendo de la pólvora. Los madrigales y las risas movían una ronda de fraques y brocados dignos de un salón de fin de siglo. Hasta las once de la noche se hacían juegos de mano y epigramas; pero después de las once, los espejos ruborizados tenían que volverse de espaldas.

No hubo de tardar mucho el cierre de la hospedería. El duende de los celos le puso en una oreja al devoto marido que si es bonita la mujer que reparte la sopa, más tentaciones reparte que tronchos de col y tallarines. El mismo duende le susurró en la otra oreja,

la necesidad de enrejar toda la casa, instalando en el zaguán una madriguera de murciélagos. La madamita alabó la prudencia de su esposo, por no estar ella muy segura de no haberse excedido en la cuquería, y contrario a lo esperado en un caso como este, le tomó estima a los celos de su marido. Ahora la madamita es una mujer apacible, peinada en trenzas cándidas, una mujer hacendosa que ayuda a su marido a contar las onzas de oro de la arquilla. Más por precaución que por incuria, tomaba largos baños de sales aromáticas, temerosa de aquel extraño picor arrebujado en su fama de cupletista. Demás está decir que cuanta pulga penetró en aquella cárcel de amor, murió ahogada.

Hombres maduros, con mozas garridas amarradas a la pata de la cama, había muchos en la Plaza Fuerte, pero ninguno de ellos tenía la cara resplandeciente del francés. Los vecinos de la calle de la Luna acabaron por aceptar la habilidad del hospedero en eso de poner a caminar unas chanclas de glasé en un remolino de hojas otoñales, y casi llegaron a olvidarse del matrimonio. No obstante, una madrugada se escuchó un gemido monstruoso en la Hospedería del Francés; pocos segundos después se escuchó un gemido más prolongado; otros segundos más y el francés, con todos los hiladillos de su calzón interior desatados, corrió como un loco hacia el Cuarto de Vigilancia. La calle entera corrió detrás de él, sin una sola conjetura dándole alas al asunto. Si había pasado, nadie lo sabía.

Lo que había pasado era un lance bastante vulgar, mas como de lo vulgar no vive el cuento, yo estoy en la obligación de adornarlo todo con flores de maravilla:

134

La madamita había desaparecido; había desaparecido además la arquilla de las doblas, aunque todo parecía obra del mismo maleficio. La llave de la entrada seguía en la faltriquera del marido, los murciélagos dormitando en su madriguera de cal, ningún vecino la había visto volar por los aires, pero la damita había desaparecido como si se la hubiera tragado la tierra. El último lance no hubiera llegado a formar expediente, si la desaparición no hubiese sucedido en la calle de la Luna, una calle aspaventosa, acostumbrada al milagro y a la hipérbole, una calle imaginera en la cual el tenebrismo español se sentía revitalizado por la fantasía árabe, la superstición italiana y el romanticismo alemán.

El registro vecindatario empezó en la misma madrugada de formularse la querella. El Cuarto de Vigilancia tenía por obligación no despegar sus ojos en la tierra, y en la desaparición de una mujer hermosa con la arquilla de oro de su marido, no podía ver cosa alguna más arriba de la ceja. Por tratarse de una dama con unos curiosos antecedentes de cupletista y mujer honesta, el registro le fue encomendado al famoso agente Pedrito Lacusta, hombre beato de ojo bilioso y nariz de ventosa, cuyo lóbrego celo en favor de las costumbres cristianas, era temido por todas las hembras livianas de la plaza. La rudeza del registro por poco produce un levantamiento civil.

Cuando los vecinos de la calle de la Luna fueron sacados a empellones de sus camas y camastros, los catalanes protestaron en catalán, los árabes chillaron en árabe, los italianos gorjearon en italiano, los chinos trinaron en chino, los alemanes amenazaron con

volar la plaza, las realengas insultaron en romance y los cocheros restallaron por los aires sus decires de chalanería. El agente Pedrito Lacusta recogió el repertorio de insultos más copiosos que recuerda la historia de la colonización, pero dejó cernidas hasta las letrinas.

La cara del francés era la cara de marido más cándida registrada en el índice de la Cédula de Gracias, mas el rigor del expediente exigía descartar la posibilidad de un barba azul, con una mujer descuartizada en cada ropero. Durante el registro vecindatario, el francés tuvo que sufrir el martirio de contemplar las amadas prendas de vestir de su cupletista descosidas hasta en sus hilvanes más ignotos; las losas canarias de su casa desempotradas una tras otra; las paredes figadas ladrillo por ladrillo. Cada cinco minutos, las malhumoradas campanitas del ropero anunciaban una nueva sospecha policial. A pesar de la ferocidad desplegada, el agente Pedrito Lacusta hubo de informarle al Teniente Fiscal de la Real Audiencia, que aun tratándose de una hembra harto olorosa, no había rastro de su perfume ni en las carboneras de la plaza, y en el escenario mágico de la desaparición, no había la más leve señal de violencia.

El resultado mezquino de la instrucción le puso los pelos de punta al Cuarto de Seguridad. ¿Cómo le había sido posible a una mujer escapar de una ciudad murada sin las autoridades civiles encontrar siquiera una punta de la escala de seda? El cambio de jurisdicción trajo nuevas sospechas y más escrupulosas indagaciones. Desde el último levantamiento militar, las guarniciones de las puertas de la ciudad recordaban las caras de

todos los vecinos que entraron y salieron de la plaza, fueran de Lares o de Laredo, pero ninguna de ellas resultó ser cara de cupletista. La búsqueda en el litoral marino sólo devolvió una admirable gata marina y unas cuantas guabinas mañosas. El Capitán del Puerto envió su palabra de honor que por sus aguas no había surcado ningún bergantín velero, en cuyos mástiles hubiera podido posarse una grulla.

El último en preocuparse fue el Cuarto Militar. Los tiempos no eran de los más felices para que circulara la fantástica noticia de esta evasión. Los ingenieros militares se metieron debajo de los castillos fortificados a huronear cualquier hendidura por donde hubiera podido rastrear una lagarta; los Zapadores de la Reina, portando hachones de tabonuco, cubrieron la red entera de los túneles y los fosos interiores, buscando el rastro de una babucha de terciopelo; los paleros de los hornos militares no encontraron una sola pestaña de mujer en los abastecimientos; en los polvorines no había una sola gota de polvo que hubiera podido derramarse de la polvera de una dama. Por orden del señor Obispo se miró debajo de las camas, hasta en el Convento de las Carmelitas. Todo inútil.

Los vecinos de la calle de la Luna sabían que la cupletista no era la primera persona, ni sería la última, en desaparecer de la Plaza Fuerte. Hacía muchos años no se habían visto volando por el cielo de la provincia aquellas águilas andinas, que según la gente antigua, se robaban las hijas de los caciques de Boriquén. Fugas de presos políticos, raptos de doncellas a golpe de remo, puñaladas de maridos celosos sepultadas en las

letrinas, ejecuciones secretas de mambises y cipayos, había muchas en la conseja popular. Mas detrás de ellas, el vecino curioso podía husmear algo antes de aparecer la bola de azufre. El caso de la madamita era un chiringa sin rabo dando tumbos en el recelo popular. La cupletista era una mujer española, incapaz de andar en trujimanes con libertadores o sublevados y el último prendero que había tratado de robarse la mujer de un Quiñones, había muerto en un perfecto cruce de sable. El marido seguía afirmando, y con él la calle entera, que su mujer era una dama honesta a la cual él amaba tiernamente. El señor Cónsul de Francia empezaba a mostrar su impaciencia y la nota diplomática andaba en busca de una valija de corcho.

El francés entró en melancolía y los vecinos de la calle de la Luna decidieron encontrarle la mujer al francés aunque tuvieran que retar a las autoridades. Los primeros en apalabrarse fueron los cocheros y los muleros.

–¡Ay, Andrés, bendito!, nuestro vecino el francés ha perdido su mujer y nadie sabe dónde ha ido a parar su pajarita.

–Tendré un ojo puesto en el camino y otro en la mujer del vecino.

–Cuanta mujer bien apechugada, y con un lunar junto a la boca, encuentres en el camino, manda recado con el primer coche que te cruce.

Los trovadores de la calle empezaron a encordar el suceso para conocimiento de arisquillas y avispados:

En la Calle de la Luna
se ha perdido una mujer
y por su suerte infortuna
se está muriendo un francés.

Los segundos en apalabrarse fueron los tres guapos de la calle, Santos Lamuerte, Maximino Lachanga y Mauleco Manosanta, comprometiéndose a registrar algunas cuevas donde no podían entrar los agentes de la vigilancia ni con cota de malla. En el dormitorio sólo para varones de Tana Sánchez, un tuerto le sopló a Mauleco Manosanta, haber visto entrar en el matadero de palomas de las hermanas Salcedo, una dama de mucho velo, bastante pechugona, quien allí iba tras los contrabandistas de Curazao, cuando estos se reunían a jugar baraja con los soplones de la Aduana. De un tranco, Mauleco Manosanta le arrancó el velo a la velada; era una máscara de albayalde con dientes amarillos, quien malentendiendo el ardor del matón, se quedó temblando de amoroso espanto.

El precarista de la Cueva del Chino le informó a Santos Lamuerte haber visto salir por la Puerta de San Juan, camino de La Puntilla, una mujer sola; y aunque se tapaba bastante la cara, el precarista le pudo ver una chorrera de rizos de tenacillas. Aquella noche todas las mujeres honestas de La Puntilla, y aun las meritorias, tuvieron que enseñarle el rabo de la trenza a Santos Lamuerte pero todas podían dar razón de sus malquerencias de casadas o de su tedio de soltería. El cabo de varas de la disciplinatoria de la calle del Cristo, le susurró a Máximo Lachanga, que en el único sitio

donde podría ocultarse una mujer bonita sin ser molestada por la fama, era en la cripta de la Capilla de San Francisco. Con una vela de cera encendida dentro de la boca, Maximino Lachanga bajó aquella noche hasta el cementerio privado de la Primera Orden Franciscana. Sólo el arpa de un angelito de piedra, arrullaba el sueño de los monseñores.

Los tres guapos hicieron un registro siniestro por cuanta casa de aparecidos, cloaca de trasgos, manglar de pulpos, poza de congrios, varadero de tiburones, pudiera esconder un cuerpo vivo o muerto, pero en ninguna parte encontraron la mujer del francés.

Los cocheros, por todos los pueblos de su ruta, le habían pasado la voz a los mozos de coz, los mozos de coz a los mozos de hoz, los mozos de hoz a los mozos de haz, pero la búsqueda no progresaba. Por su parte los copleros habían dejado noticia lírica del suceso entre los bobos de las plazas, los bobos de las plazas entre los discretos de las esquinas; los discretos de las esquinas entre los sabios de los atrios y los sabios de los atrios entre los chismosos de los casinos y aunque la cadena no se había roto en toda la provincia, nadie sabía nada de la mujer del francés. Todas las diligencias humanas se habían cumplido; sin embargo, las cachaquitas de la calle de la Luna, seguían frenéticas.

–Ay Martina, ¿apareció la madamita del pobre francés?

–No, Sunchita, ni aparecerá. ¿Quién es el gato que mejor carne logra en la gatería?

–El que tenga el bigote más largo.

–A lo mejor la cupletista aparece debajo de la cama del Capitán General. –Por consejo de los Oidores de la Real Audiencia, el Capitán General dio un baile en el Palacio de Santa Catalina, incitando a las mujeres de mayor respeto en la plaza, a mirar debajo de las camas.

Era indudable que los vecinos de la Plaza Fuerte no tenían sus calambres predispuestos en favor de otra muerte sobrenatural. Hacía siglos que el diablo había salido mal con los españoles. Tirarle de la oreja al diablo ha sido siempre pasatiempo patriarcal y ameno de criollos y peninsulares. Sin embargo, los augurios eran que en la muerte de la madamita no habían intervenido los ángeles sino los diablos de la plaza; que se trataba de una de esas muertes oscuras, coladas por el hueco de una noche cabalística, para obligar a los mortales a respetar el brujadario y el humor maligno de Capricornio.

Hostigado por la incredulidad de los contertulianos de la Caleta de la Catedral, el agente Pedrito Lacusta admitió la sobrenaturalidad del móvil. En una calle donde vivían tantos masones no resultaba extraordinario un acto de hechicería. El agente aceptó haber olisqueado en el último corsé de la desaparecida, cierta fragancia, que más parecía de flor de duende, que de bergamota. Además encontró en la alcoba de la madamita una luz de aceite a medio consumir. Pedrito Lacusta afirmaba haber leído en los libros negros, que basta depositar en la oreja de una mujer honesta, una gota de aceite que haya alumbrado la media noche, para que aquella desaparezca de su casa. Aun cuando la ciencia atesorada por el caletre de un agente no satis-

faga las creencias de marisabidillas y bachilleres, si el agente además resulta un beato virtuoso, su palabra goza de cierto favor capaz de alborotar cualquier alma cándida colgada en el armario.

El día que los vecinos de la Plaza Fuerte hubieron de descartar la última probabilidad de una fuga de amantes o un rapto de lujuriantes, el terror se apoderó de la plaza. En el fondo de cada zaguán apareció una cruz de madera y en los pretiles de las azoteas una cruz de hierro. El señor Obispo pudo prohibir las novenas de expurgación, mas no pudo detener los exorcismos privados. Las mujeres honestas dormían con orejeras de cuero y los maridos celosos con unos sables capaces de partir un diablo en dos mitades, aunque viniera disfrazado de holandés, inglés o bucanero. Las beatas pasaban frente a la Hospedería del Francés, prendiéndose lazos amarillos en el pecho.

La calle que parecía más inmune al terror urbano era la propia calle del sortilegio. Pasadas las ánimas, los vecinos de la calle venían a platicar con el francés como si nada hubiera sucedido. Una vecina con mucha experiencia en consolación de viudos, Lucía Pacheco por más señas, atendía a las vendas y al baño de purrón y Manuela Gracián, tenía los fraques del hospedero tan aplanchados como si hubieran cuarenta francesas pegadas al anafre. La comida del viudo se adobaba en la vinatería de Paco Trilla, menos la trufa de pato con conejo confeccionada por las manos elegantes de su consulesa.

Cada día el francés estaba más alicaído; con el bigote nublado, la barriga sin fajín y la piel con cascarilla de

santo, se pasaba horas enteras sumido en una misteriosa pesadumbre. Pronto hubo de llegar el momento cuando el francés no podía moverse de la cama. Veinte pechugas de palomas nadaron en el último sopicaldo que probaron sus labios; treinta palanganas aromáticas trataron en vano de desalojar de su cabeza el espejismo de la muerte. El francés tenía que morir, y morir de amor, dentro de la mejor tradición de su hermosa raza, porque así lo exigía esa literatura romántica aposada en los fosos de las plazas artilladas.

Cuando se supo la noticia de su muerte, la calle entera se cubrió la cabeza con un manto negro, como si toda ella se hubiera quedado viuda. Durante toda la noche, los incensaristas de la Catedral envolvieron la calle en densas volutas de humo santo. Barbudos cejijuntos con hombreras de mayorales y pedemalillos de yescas, ateos macilentos con ojeras eruditas, golillas con carpetas de hule y miel de oblea, glosaban las malaventuras que suelen rodear la pasión del hombre.

–Vale más mesonera con legañas que infanzona con guadaña.

–No hay amor que dure diez años ni boca que después lo cuente.

–Con las trenzas de las bonicas se tejen sudarios.

La muerte sobrenatural es un regalo exquisito del terror que sólo puede aprovechar aquel acostumbrado a mirar a través de las paredes. Indudable era que el agente Pedrito Lacusta no tenía mucha experiencia en la brega con los complejos poéticos de una muerte sobrenatural; tampoco la tenían los otros vecinos de la Plaza Fuerte al pensar, que después del Rey, el único

llamado a tocar en la puerta de un matrimonio bien avenido, era el diablo; tampoco mostraron buen juicio los vecinos de la calle de la Luna, tal vez impresionados por la aparatosa martingala instalada en torno al caso, aunque para ellos lo que había sucedido era una experiencia casi cotidiana.

La madamita del francés fue obligada a irse a otro mundo, un mundo más chico pero más sabroso, poblado por unos seres sutiles de un refinado humor; unos seres con una mitología de bolsillo, una épica casi desconocida, una ontología aún sin explorar; entrometidos en la vida sensata como asteriscos de un misterio creacional. Por eso a nadie ha debido extrañar que a lomo de pulga, caminara hacia una tembladera celeste, la madamita del francés.

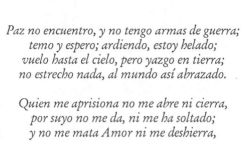

Paz no encuentro, y no tengo armas de guerra;
temo y espero; ardiendo, estoy helado;
vuelo hasta el cielo, pero yazgo en tierra;
no estrecho nada, al mundo así abrazado.

Quien me aprisiona no me abre ni cierra,
por suyo no me da, ni me ha soltado;
y no me mata Amor ni me deshierra,
ni quiere verme vivo ni acabado.

Sin lengua ni ojos veo y voy gritando;
auxilio pido, y en morir me empeño;
me odio a mí mismo, y alguien me enamora.

Me nutro de dolor, río llorando;
muerte y vida de igual modo desdeño:
en este estado me tenéis, señora.

FRANCESCO PETRARCA,
Canción CXXXIV

SE ACOMETEN,
SE ENLAZAN, SE
ENTRECHOCAN

Inevitable

Carmen Cecilia Suárez

Él era signo de fuego, destellante, chispeante, fascinante, centelleante, rutilante, llameante, fulgurante, eclipsante, jugueteante, tintineante, deslumbrante, volátil e inasible.

Ella era signo de agua, ondulante, inundante, zigzagueante, provocante, esquivante, titubeante, amenazante, apabullante, ahogante, suave y fresca.

La relación fue un cortocircuito.

Pigmalión

Manuel Vázquez Montalbán

L a había visto alguna vez recorrer las aceras del barrio con una cesta de paja entre útil y sofisticada, como su abrigo de sospechosa piel que disminuía aún más la pequeñez de sus facciones y se tragaba parte de una melenita artificial en lo lacio y lo dorado. Superpuesta sobre las restantes mujeres habituales de aceras y tiendas, acuarentadas de excesiva delgadez o gordura, de facciones y piernas cansadas, en flagrante olor a cotidiano, la muchacha parecía una desterrada o un prometedor animal de paso. Pero no la deseé hasta una tarde de invierno vencido, cuando la vi al otro lado de la acera esperando ensimismada la orden del semáforo, de un brazo le colgaba un niño, del otro un bolso excesivamente nuevo, blindado diríase al darle un rayo de sol sobre la coraza de pura piel de becerro. Entre el niño y el bolso quedaba ella, rubia, sin duda teñida, de cejas desencantadas, boca y pechos tristes, la sensualidad en las caderas y unas piernas para palpar con los ojos, altas y carnales. Buena para cometer adulterio, pensé, con un cierto remordimiento, en una morbosa situación de

confianza traicionada, la de ella, la de su marido, probablemente la mía. El niño pendía del hilo de su mano, trotaba como un muñequito envuelto en una nube de colonia más eficaz que delicada, confiado como un príncipe primogénito abierto a la aventura de una tarde llena de tenderas cariñosas, chupa-chups, pellizcos y el lenguaje de adultos que fingen ser niños sin un mínimo de educación teatral. Era un niño de *spot* televisivo: rubio, flequillero, secundaba el desganado arrastre de su madre con un cierto fatalismo, moviendo la cabecita en todas direcciones como tratando de recordar en poco tiempo y para siempre lo que veía.

Ella no se me reveló del todo hasta la primavera, cuando se quitó el abrigo y un vestido de entretiempo enfundó su cuerpo justo, a la vez lleno de rincones y posibilidades. Volvía a estar allí con el niño y junto al semáforo, como si sólo se hubiera retirado un instante para quitarse de encima invierno y un abrigo de piel artificial. Casi sin concienciarlo, recorrí su mismo camino hacia el quiosco de diarios, pendiente de la tensión de sus piernas y sus caderas contra el estuche de una falda de lanilla tan buenísima como la piel del bolso. La dejé comprar un diario de la tarde y una revista situable a medio camino entre la astrología y la divulgación de *calité* sobre los diamantes más robados del mundo, pasando por alguna que otra ración de marxismo convencional aplicado a la interpretación del ciclo de novela burguesa de Thomas Mann. La seguí con su misma parsimonia de mujer cansada por una mañana repleta de labores domésticas, consciente de que el día iba a dar paso a la noche sin la menor posibilidad de

sorpresa. Sus ojos buscaban inútiles dispersiones en el paisaje resabiado del barrio de renta limitada y el niño le colgaba como una obligación asumida, a veces reconocida en un apretón suave de la manita dotada de cinco vidas calientes y sudorosas. Reconocía yo a breve distancia su nuca alta entre las brechas de una melena excesivamente maltratada por los tintes, pero aún apetitosa en su caída, aún deseable como una corona dorada, penacho sobre un rostro de sexuada boca, como una ranura tierna y ávida. Reconocía su espalda corta y delgada, como hincada en unas caderas embutidas en la que imaginaba piel porosa, casi cárdena en las junturas húmedas, auténtico planeta entre el calor y el frío para una mano necesitada de la inmensa patria de un culo. Sus brazos largos prometían caricias de lenta llegada, cruces estilizadas sobre el propio cuerpo en protección de fáciles vencimientos o abrazos llenos de enervante torpeza, brazos equivocados de distancia, miopes de volumen. De vez en cuando me ponía a su altura para reconocer lo fugitivo de sus facciones pequeñas, la larga línea de garganta y senos, apenas sostenida por un pezón muy sólido, luego sabría que excesivamente mamado bajo el consejo de un pediatra a la antigua usanza. Vientre plano, amenazantes huesos de caderas, como asas, y aquellas piernas inacabadas, llenas de longitud y de carne.

Luego la seguí en su vía crucis cotidiano por tiendas perfectamente imaginables: dos bolsas de leche, cuatro donuts de chocolate, una coliflor amarilla que más parecía ramillete de siemprevivas, tijeritas para las uñas, laca, spray espuma para afeitar sin brocha,

que sus ojos grises contemplaron escépticos antes de dejar caer en un capazo, en la certeza de que no habría motivos para confiar ni para desconfiar de sus atributos. Cruzamos la mirada cuando, en la puerta de la perfumería, flirteé brevemente con el niño agradecido y sonriente por la dedicación del forastero que trataba de ponerse a su estatura. También ella me agradeció la dedicación enseñándome unos dientes excesivamente separados e instó al niño para que correspondiese a mi saludo, lo que el pequeño hizo recurriendo a sus gracias de más seguro éxito. De reojo comprobé que ella me miraba con esa curiosidad de joven casada de barrio pequeño burgués, nuevo y uniformado, donde el otro siempre es una sorpresa cuando se aproxima a menos de medio metro de distancia.

–Es muy vivo este niño.

–Para lo que le conviene.

Dijo pero sonreía. Entablé conversación y la proseguí caminando junto a ellos, sin asumir la sorpresa contenida con la que me miraba y los reojos cautos que repartía a derecha e izquierda. Para huir del marco peligroso para una situación que no le desagradaba, encaminó sus pasos hacia el parque, menos recelosa a medida que nos alejábamos del territorio de su estricta cotidianeidad. El niño la abandonó en cuanto divisó la silueta de un tobogán rojigualdo. Fue vano el vuelo de la madre para atraparlo, retenerlo como un punto de referencia o de apoyo moral. El niño nos dejó solos sobre nuestras piernas y no tuvimos otro remedio que ceder al recurso del banco de parque atardecido donde nos dejamos caer con púdica distancia, fugitiva una

sonrisa entre su nariz y su boca, tan relajado yo de cuerpo como tenso de alma.

No dio para mucho el tema del descuido del parque, ni el de las peculiaridades de un niño excesivamente contemplado en su condición de nieto primogénito de cuatro abuelos. Fue fácil pasar al tema de un cierto hastío por la rutina de la vida y ella tenía ganas de decirme que estaba cansada de recorrer tiendas con un niño colgado del brazo y de su aburrimiento.

–Me gustaría trabajar en algo.

O terminar de estudiar, añadió, mientras me observaba para comprobar el efecto que me provocaba su pasado cultural. Mi grata sorpresa propició el que me contara que casi había terminado el bachillerato entre desidias que sus padres aprovecharon para inducirla al oficio del matrimonio. Su marido era aparejador por las mañanas y por las tardes trataba de montar una urbanización por su cuenta y riesgo en una finca patrimonial milagrosamente cercana a la ciudad. Ella rezumaba esa prosperidad menor de joven matrimonio burgués puesto por una mujer con cierta educación, vigilante de la propia dieta y saunadicta y por un hombre trabajador, de su casa al trabajo, del trabajo a casa, honrado, prudentemente emprendedor que antes de los cuarenta años ya ha conseguido poseer un chalet con piscina de cinco por diez metros y hacer un viaje cada año al extranjero para ver porno en Copenhague o Disneylandia en Los Ángeles. Cuando le dije que yo daba clases en la Universidad y que estaba escribiendo una edición crítica del pensamiento económico de Flores de Lemus, advertí que ante sus ojos aparecía el

filtro purpúreo la valoración intelectual y que se descomponía de su penúltima resistencia ante el extraño infiltrado en su tarde de primavera. El niño liberado y excitado se ha convertido en nuestro mejor cómplice. Le propuse ayudarla a recuperar el correcto camino cultural perdido y ella me ofreció en bandeja la relación entre educación y erotismo.

–Si mi marido se entera de que vuelvo a estudiar... Odia a las mujeres sabihondas.

–¿Es muy reaccionario?

–¿Quiere decir muy revolucionario?

–No. Pregunto si es muy conservador.

–Él dice que no.

Miraba ella una piedrecita gris e inmotivada a la que no llegaba la punta de su pie. Buscaba las palabras justas para ejecutar a su marido sin perder el decoro.

–Pero lo es.

Y alzó su rostro amalvado por el crepúsculo y la sonrisa para decir:

–Todos los hombres lo son, ¿no?

–No tengo nada que conservar.

–¿Es usted soltero?

–Soy casado, pero no ejerzo. Estoy separado.

–¿Tiene hijos?

La pregunta iba envuelta en dedicación y lástima por un corazón, el mío, sin duda destrozado por una vida familiar rota.

–Lo importante es que esta tarde empieza usted las clases particulares.

–¿Con quién?

–Conmigo.

–Soy muy gandula. Necesito que me estimulen.

–La ayudaré. Le tomaré la lección cada tarde.

La broma fue lo suficientemente ambigua como para que me permitiera citarla al día siguiente por la tarde en el mismo parque. Le llevé dos libros de seguro éxito *La balada del café triste* de Carson McCullers y *Principios Fundamentales de Política* de Montenegro. No se esperaba un asalto semejante, ni que yo tuviera perfectamente calculados y experimentados los efectos de tales lecturas. Los relatos de Carson McCullers le harían suponer una hipersensibilidad hasta entonces desconocida, directamente conectada con la mía, como si por el mero hecho de leerlos ya perteneciera a la comunión de los seres más sensibles y entrañables de este mundo. En cuanto al breviario de formación política, la introduciría en un caos de formulaciones conceptuales, en todo opuesto a la jerarquización de valores usados en la construcción de una vida de renta limitada, con segunda residencia en el campo y algún que otro viaje en busca de porno e imaginación. La siembra de la duda política me había aportado en el pasado resultados inestimables, entre mujeres que consideraban que la castidad era uno de los principios fundamentales del franquismo y que a través de convulsiones políticas se prestaban a una segunda fase de politización por vía vaginal.

Le apliqué sistemáticamente el plan de seducción cultural, adaptando a sus peculiaridades experiencias anteriores, modificando el método en función de las necesidades de Irene. Proseguí el tratamiento a base de relatos sensibles y divulgación democrática, antes de

enfrentarla a libros de poemas incitadores al compromiso o ensayos como *El segundo sexo* que ya exigían una decidida voluntad de perdición por los morbosos pasillos de las verdades prohibidas. La lectura del libro de la Beauvoir precipitó las consecuencias. Los déficits lingüísticos de Irene la obligaron a entregarse a mi asesoría, a confiar en mí como en un sacerdote poseedor del latín y con él del lenguaje único para comunicarse con las divinidades. Pronto advertí que pese a la dimensión estrictamente intelectual y ajardinada de nuestros encuentros, las distancias físicas decrecían y nuestros muslos se juntaban para apoyar el mismo libro. Al tuteo siguió ese toque precipitado con las manos colgantes de brazos blandos y contenidos que subraya conceptos y llamadas aparentemente, pero que esconde la tentación del abrazo. Como si saliera de una grave enfermedad de estupidez burguesa, la convaleciente Irene mejoraba el color de su espíritu y su cuerpo se me acercaba con tanto apetito como su cerebro. Fue entonces cuando trabajé para hacerle incómodos nuestros encuentros al aire libre.

–Aquella señora que parece la mujer de un veterinario no nos quita el ojo de encima. Debe pensar que somos amantes.

–No. Si no estoy tranquila. Un día va a verme un vecino o un familiar. Y si mi marido se entera...

–Se entera, ¿de qué?

–De esto.

–¿De este cursillo de Universidad a distancia?

Se echó a reír y me dio un golpe con la mano lenta, tanto que se quedó sobre mi hombro el tiempo sufi-

ciente para que yo la cogiera y la acariciara con un roce
tan suave como nuestras relaciones hasta entonces. Ella
no sabía dónde esconder la mirada y entonces aban-
doné su mano, articulé mi brazo con todas las consecuencias y pasé el dorso de mis dedos por su mejilla
arrebolada. Después la mano en su caída se apoderó
de la parte desnuda de su brazo y le apreté la carne
dura y fría como transmitiéndole un mensaje de frustra-
ción y querencia. Para entonces ya me miraba tratando
de que mis ojos o mis labios le dijeran lo mismo que
mis dedos. Me puse de pie.

–Vamos. Aquí es imposible hablar.

Se adaptó a mi paso vivo y el niño trotaba colgado
de su madre, quejándose a veces por la rapidez de la
marcha. Me introduje en el portal de mi casa, llamé al
ascensor, sin mirarle la cara, sin preocuparme por las
posibles preguntas de su rostro. Dentro del ascensor
nos miramos fijamente, yo con calculada mezcla de
timidez y determinación, ella con mirada de primera
noche de bodas. El niño se había sentado en el suelo
de la cabina y contaba con sus deditos una quimérica
cuenta de recuerdos o porque síes. Ya en casa, aparté
libros y ropas para poder tumbarnos en el sofá. Le
sonó roto el intento de decir simpáticamente: «Qué
desorden», y en cuanto el niño se perdió en las cuevas
del piso en busca de la aventura, mis manos tomaron posesión de su cuerpo con pasión de adolescente
hambriento. El niño entraba a veces como si fuera un
tren a cuatro patas, pero no concedía importancia al
desorden de las ropas del que asomaban carnes como
nuevas, especialmente aquellos senos de blancura casi

lunar abotonados por pezones lilas. Traté de buscarle desnudeces más fundamentales y ella me contuvo con eficacia, rehizo sus ropas como recuperándose de un mareo que le enrojecía las mejillas y los ojos, se puso en pie, tambaleándose.

–¿Tienes televisión?

–Sí. Al fondo del pasillo.

Cogió el niño al paso y se lo llevó. Oí ruido de puertas y sintonías, voces de televisor. Otra puerta cerrada. Apareció lenta, segura, rehaciendo o deshaciendo aún más su melena breve y desvaída, se desnudó de espaldas y de pronto me ofreció la exactitud de sus carnes, puntas y junturas antes de zambullirse como una nadadora en mi cuerpo, más para ocultarse que para entregarse. Fue un acto sin quejidos, con lenguaje de respiración y manos, que se repitió sin despegarnos, como si temiéramos que la distancia del parque volviera a plantearse como una premonición de separación para siempre. Luego, ella quiso fumar un cigarrillo según un ritual convencional que probablemente había asimilado en alguna lectura que yo no le había asesorado. Sólo suelen fumar los adúlteros después del amor y más de un adulterio ha sido intuido o descubierto porque tras la sexualidad matrimonial uno de los dos busca en el cigarrillo la nostalgia del otro cómplice. Momento temible el del cigarrillo, sobre todo cuando el *partenaire* tiene veleidades literarias y quiere cobrar la factura de la entrega con las monedas de la intimidad confidente. No me propuso que viviéramos siempre juntos, pero sí empezó a explicar su proyecto de futuro aún entonces disfrazado de crítica del pasado.

–Gracias a ti puedo volver a ser yo, ¿comprendes?

Temible, pensé. Pero la contemplación de su cuerpo tan deseado durante la fase de reciclaje educativo me compensaba de cualquier temor de caída en las arenas movedizas de la confraternización. Se vistió con suficiencia y me trató como una madre que promete al hijo un próximo retorno. Me había dominado sobre el sofá y se desquitaba de mis conferencias políticas y culturales asumiendo por primera vez un protagonismo indiscutible. Ya en aquel primer encuentro pude darme cuenta de la tentación de reproducir una vez más el modelo matrimonial. Aunque la veía marchar en parte como si fuera un juguete ya usado, también hubiera deseado que se quedara y despedí al niño como si fuera más mío que cuando subía en el ascensor sentadito sobre el vacío. Me molestó el que Irene me citara al día siguiente en el parque porque presentí el reflujo del remordimiento y un largo forcejeo moralizante entre la casada descarriada y el seductor de barrio. Inevitable. Toda la tarde siguiente la consumimos en el tira de mis deseos y el afloja de su razón. Irene había dispuesto de toda una noche para recuperar el complejo de culpa, para recordar lo mucho que trabajaba su marido, al fin y al cabo sin otra posibilidad de compensación por su parte que la exclusividad sexual.

–Si fuera económicamente independiente, ¿comprendes? Pero él me mantiene. Me paga hasta la peluquería.

–Yo no te propongo una traición, sino un acto de libertad. Ni tú, ni yo, ni él hemos escogido unas relaciones sociales y culturales a las que llamamos matrimonio.

—Oh, sí. Tú hablar sabes. Hablas muy bien. Me confundes.

Fingía entonces estar herido por tan despectivas palabras y ella me consolaba hasta el borde del vencimiento, pero en cuanto tiraba de su mano para iniciar el camino hacia casa, recuperaba el esqueleto y se resistía corno una mula obcecada. No vacilé en utilizar los recursos más tópicos: adiós pues, eres una cobarde, tienes alma de esclava, maldita la vida si no nos permite ni un acto irresponsable, no podemos vivir eternamente pendientes de los contratos, etc., etc. Mi tratamiento culturalizador había sido demasiado corto, se notó en la ineficacia de mis reclamos para escalar las murallas de Jericó de la moral convencional. Desalentado, le arranqué una cita para el día siguiente a la que no acudió. El techo de mi habitación devolvía mi perplejidad ante la ambigüedad de mis sentimientos en parte colmados por la aventura saciada, en parte frustrados por tan rápido final. Dos días después de una de estas perplejidades me arrancó el timbre: Irene y el niño colgante quedaron sorprendidos, sonrientes, destapados cuando yo abrí la puerta. Por el tartamudeo de mi corazón y de mi estómago descubrí que era inmensamente feliz.

Semanas después las yemas de mis dedos hubieron podido evocarla en todas sus esquinas. Aquella cérea piel de lujo, apretada, restallante, el cuello asumido por mi mano y dirigiendo hacia mi cuerpo la boca llaga, la lengua breve, aguda, a veces una eternidad de tacto goloso y absorbente. El amor civilizado cara a cara o el amor de vencedor y vencido con las carnes de ella a

cuatro piernas empujada por un jinete encorajinado e indiscutido; el amor experimental de abajo arriba o el caprichoso asalto sobre una mesa de comedor llena de fichas sobre las proféticas ciencias de Flores de Lemus. El intercambio del cuerpo seguía completado con el cultural. Mis libros iban y volvían y yo notaba el enriquecimiento de la sabiduría convencional de Irene, su asimilación del lenguaje críptico, su progresiva capacidad de hablar de Hemingway como de un amigo de la familia o de sentenciar la obsolescencia del degaullismo cuando Giscard d'Estaing ganó la partida a Chaban Delmas en la pugna por la candidatura presidencial tras la muerte de Pompidou.

–Es otra derecha –me atreví a decir–. Tiene un largo aprendizaje negociador con la izquierda. No es como aquí que siempre ha tenido fácil el recurso del exterminio.

–La derecha siempre es la derecha.

Me contestó Irene en un tono de voz de profesora no numeraria militante en un grupo ML. No me sorprendió pues que pocos días después me dijera que intentaba ingresar en la Universidad acogiéndose a los exámenes para mayores de veinticinco años.

–¿Qué quieres estudiar?

–Psicología.

–No te lo aconsejo.

–¿Por qué?

–Toda mujer casada que se matrícula en psicología busca resolver sus propios problemas psicológicos.

–Pues haré Ciencias Económicas.

–Dios mío, me harás la competencia.

–Burro. Pero qué burro eres.

No exagero si me atribuyo buena parte del éxito de Irene en los exámenes de entrada en la Universidad. Durante dos meses las relaciones sexuales fueron decreciendo en relación directa a la intensidad de clases particulares que le impartí, con corrección de trabajos y elaboración de temas incluidos. El niño seguía siendo el habitante de la caverna televisiva o un espectador desinteresado de nuestras clases particulares. Sólo de vez en cuando, entre cansancios de la mente, nuestros cuerpos se desnudaban y yo recuperaba su peso tibio entre mis brazos, aunque no su cabeza: anclada con la boca llaga y la lengua como un látigo o una marea de placentera humedad. Cuando mi mano le proponía el viaje sobre mi cuerpo, la cabeza de Irene se bloqueaba, como si se le hubiera roto el flexor del cuello y en sus ojos leía una no confesada repugnancia por emplear en menesteres de excitación o balsamización sexual una lengua capaz de recitar la teoría del valor según Ricardo.

Pasó casi todo el verano en el chalet comprado gracias a la laboriosidad del marido. Ya tenía en el bolsillo el apto para el acceso a la Universidad y vivía concentrada como un deportista en un esfuerzo de formación permanente para llegar en forma al comienzo de curso. Avisó al marido de lo que le esperaba y me contó su reacción en uno de los escasos encuentros desnudos que tuvimos durante aquel verano, en un hotel lleno de holandeses, a medio camino entre su chalet y un apartamento que yo había alquilado en la costa.

–Lo ha encajado estupendamente. Dice que me comprende y que hago muy bien. Me ha sorprendido. Es un gran tipo.

No tuvo tiempo que perder en espera de recuperaciones. Hizo el acto sexual una vez, con ciertas características de ultimátum o de ejecución sumarísima. Se había desnudado sin misterio y se vistió como si hubiera oído el: Viajeros al tren. Cuando volvió con las primeras lluvias me telefoneó más que me vio. Como la luz del gas que se apaga lentamente, la transición del vernos al no vernos ni siquiera fue perceptible. De pronto me di cuenta de que ya no la veía, de que mi barrio había vuelto a ser una encrucijada de idas y venidas entre tedios y cansancios. Cebé mis ojos en una muchacha pelirroja que siempre corría urgida por ignoradas prisas, regalando el trote casi sonoro de dos pechos obsesivos. Pero un día la vi de muy cerca y como un maníaco sexual inconsciente, me pareció demasiado joven para un hombre como yo, incapacitado para las alegrías aceleradas, y la dejé pasar como sin duda el vampiro de Düsseldorf o Jack el Destripador dejaron pasar generosamente más de una vez a una víctima ignorante de que podía haberlo sido.

Desdichada servidumbre la del hombre que ha leído demasiados libros y confunde la ética con la estética. No me parecía moral acosar a Irene, ni siquiera espiar sus paseos con el hijo colgante. Así que me dediqué a una traductora suiza empleada en una revista de productos farmacéuticos y reinicié el expediente de una sexualidad exclusivamente aplicada a la relación entre el hambre y la posibilidad de comer. Recuperé mi ten-

dencia a las partidas sexuales simultáneas: la traductora suiza el lunes o miércoles, una ex compañera de curso los jueves y algunos fines de semana, una ex campeona de patinaje artístico, a la que conocí en una manifestación proamnistía, y que tenía disponibles todos los sábados por la mañana, a partir de las siete treinta. Recordaba a Irene no sólo como una aventura amorosa, sino como una propuesta de comportamiento, es decir, como una mujer que me había obligado a asumir un determinado rol de comediante, hasta el punto de convertirlo en mi más deseada personalidad. Descubrí que hubiera querido incluso convivir con ella, con el niño, reincidir en la mecánica de los gastos cotidianos compartidos, recuperar las raíces en horas fijas, como se recupera la cama, los zapatos, el coche, el paraguas.

No volví a verla hasta tres años después. Algo más descuidado su cabello, no muy al día su vestuario, el cuerpo más espléndido asomado a una treintena triunfal y mejorado el conjunto por insinuadas arrugas de frutal sazón: las ojeras le cansaban aquellos ojos grises y dos suaves líneas enmarcaban la boca llaga. Su forma de estar y andar, avalada por la esplendidez de sus caderas y sus piernas, la hacían destacar en un grupo de mujeres que discutían en la puerta de una entidad cultural, recientemente abocada a un fatal proceso de democratización por imperativos de su junta directiva copada por empecinados izquierdistas. Irene hablaba con suficiencia, las demás escuchaban. El niño tenía ya casi diez años y ora escuchaba a su madre, ora se despegaba del grupo para tratar de arrancar el cartel

anunciador de la conferencia de Tierno Galván sobre «Humanismo y Socialismo». Cuando los bedeles abrieron las puertas, Irene inició la marcha sin dejar de hablar e instintivamente tendió la mano para asir la de su hijo. Allí estaba. El niño se adhirió a su madre y la siguió como yo le había visto seguirla años atrás sobre las aceras de mi barrio. Con la cabecita movida en todas direcciones, como tratando de recordar para siempre todo lo que veía.

Me senté unas filas detrás de ella y elegí contemplarla. A través de sus reacciones viví la conferencia de Tierno Galván. Irene no estaba de acuerdo con el viejo profesor. Cabeceaba negando, se revolvía indignada, lanzaba codazos irónicos a su compañera de asiento, mientras en el otro lado el niño se había dejado caer de la butaca para ensayar sobre el frío suelo la imposible ficción de ser buzo. A la hora de las preguntas, Irene levantó su cuerpo hecho a la medida de habitación caldeada, como isla de invierno, y preguntó al conferenciante si asumía la tradición del socialismo reformista de Prieto o del socialismo revolucionario de Largo Caballero.

–Señorita...

–Ni señorita, ni señora. Irene a secas.

–Irene. Con la fama de tradicionalista que tengo no me haga asumir más tradiciones.

Por los gestos de la despechada Irene comprendí que estaba diciendo algo parecido a: es poco serio. Si hasta ahora ha hablado en serio, ¿por qué esta broma? Procuré salir cerca de ella y la cogí por el hombro en la escalera. Al reconocerme puso brillo de cariño en sus

pupilas grises y por un momento me pareció que su boca se acercaba como por impulso que contuvo a tiempo. Mal cogidos mutuamente fuimos empujados por los desocupantes, el niño nos seguía a remolque de los faldones del chaquetón de su madre. Irene me propuso ir a cenar.

–¿Y tu marido?

–Estamos separados. Hace tiempo.

Fue un breve, eficaz resumen de tres o cuatro años de su vida. Vivía de su trabajo, estaba acabando la carrera de Historia, el marido le pasaba una generosa pensión por la manutención del niño. Ya no vivía en el barrio.

–Tengo un piso viejo y grande en el ensanche. Lo he decorado en plan salvaje. Me cuesta cuatro cuartos y es comodísimo. Estoy a un paso de todas partes. ¿Sigues viviendo en el barrio? A veces he vuelto, pero de paso. ¿Publicaste la edición crítica de Flores de Lemus? ¿Todavía no? Eres increíble. Se te va a adelantar Fuentes Quintana. En *Moneda y Crédito* he leído que prepara un estudio becado por la Fundación Juan March.

Pregunté al niño qué hacía. Me devolvió la misma sonrisa agradecida que años atrás. Se encogió de hombros como si no le importara ni a él ni a mí lo que hacía. Irene le instó a que me contestara con palabras y no con gestos. Dije que era igual. Debió brotar en un momento determinado un brillo de reclamo en mis ojos, porque Irene confesó de pronto:

–No vivo sola con el niño. Tengo un compañero.

–¿De juegos?

–Burro. Qué burro llegas a ser. Tengo un amante, coño. ¿Te gusta más así?

Hemos de vernos o llámame. Una de las dos cosas, dijo cuando me despidió con un beso en la mejilla y me dejó en una mano, con inhibida desenvoltura, una publicación clandestina del Partido del Trabajo. Con la otra traté de acariciar la cabeza del niño, pero casi no pude. Se iba al trote al lado de una mujer a la que enseñé a escapar.

FELICIDAD

Mercé Rodoreda

Anoche, antes de dormirse, se dio cuenta de que el invierno tocaba a su fin. «Basta de frío», pensó, y se estiró entre las sábanas. Los ruidos nocturnos llegaban más limpios, como si procedieran de un mundo más nítido, restituidos a su pureza original. El tictac del reloj, casi imperceptible durante el día, llenaba la habitación con una palpitación enervante y la inducía a pensar en un reloj propio de un país de gigantes. Unos pasos en el adoquinado se le antojaban los de un asesino o los de un loco fugado de algún manicomio y le aceleraban el ritmo del corazón y del pulso. El roer de la carcoma debía de ser el anuncio de algún peligro inminente: quizás un muerto amigo se esforzaba, mediante aquellos tercos golpes, en mantenerla despierta y vigilante. No, no era miedo: pero se acercó a Jaume con un poco de grima y se acurrucó junto a él. Se sintió protegida y vacía de pensamientos.

La luz de la luna, unida a la del arco voltaico de la calle, entraba hasta los pies de la cama, y, de vez en cuando, una bocanada de aire fresco, llena del olor de

la noche, le alcanzaba el rostro: recibía la caricia con placer y comparaba su frescor con el de otras primaveras. Volverán las flores, pensaba, y los días azules con largos crepúsculos rosados, las tibias oleadas de sol y los vestidos de colores claros; pasarán trenes llenos de gente en cuyos ojos brillará la ilusión de las vacaciones. Llegará todo lo que trae el buen tiempo y que el otoño se lleva con un fuerte vendaval y un par de violentos chaparrones.

Tendida en la cama y despierta, en plena noche, sentía el placer de haber dejado atrás el invierno. Levantó el brazo y movió las manos: un tintineo metálico la hizo sonreír. Se estiró con voluptuosidad. El brazalete brillaba a la luz de la luna y del arco voltaico. Le pertenecía desde aquella tarde y lo veía brillar sobre la piel como si formara parte de ella. Lo hizo tintinear de nuevo. Quería tres iguales. Tres cadenas para llevar siempre juntas.

–¿No duermes?

–Me dormiré enseguida.

¡Si supiera cuánto lo amaba! Por todo. Por ser tan bueno, porque sabía abrazarla con ternura como si temiera romperla, con más amor en el corazón que en la mirada, y bien sabía ella cuánto amor había en aquella mirada. Porque sólo vivía para ella, igual que ella, de niña, había vivido para un gato: con desasosiego. Sufría por temor a que el gato sufriera. Llena de angustia y con la tragedia reflejada en los ojos, iba al encuentro de su madre: «Ha bebido la leche; tendrá más hambre. Se le ha liado un ovillo de lana al cuello; se ahogará...; lucha con los flecos de la cortina y cuando oye pasos,

para o disimula, pero se asusta mucho y el corazón le late muy deprisa...».

Deseó besarlo, no dejarlo dormir, obligarlo a refunfuñar hasta que se sintiera dominado por el deseo de besos que la dominaba a ella. Pero la noche estaba muy avanzada y el aire era dulce y la pulsera brillaba. Poco a poco, perdió conciencia y se durmió.

Pero, ahora, por la mañana, se sentía muy desdichada. Oía el ruido del agua, procedente del baño. El grifo del lavabo debía de estar completamente abierto; oía el «crec» inconfundible de la máquina de afeitar cuando la depositaba en el estante de vidrio; el del frasco de la colonia. Cada ruido le traducía, preciso, la exactitud de sus gestos.

Incómodamente echada de bruces, con los codos apoyados en la cama y las mejillas en las manos abiertas, contaba los «arrondisements» en una guía de París. Uno, dos, tres...

El ruido del agua la distraía y perdía la cuenta. Sólo encontraba diecinueve. ¿Dónde se equivocaba? Empezaba por la isla de Saint-Louis y la rodeaba. Cuatro, cinco, seis... Los colores suaves apaciguaban su ira. Los azules, los rosados, los malvas, las manchas verdes de los parques la inducían a pensar en el final del verano, cuando los árboles se deshacen en tonos dorados y cobrizos. Pero el ruido del agua en la habitación contigua, aquel ruido que otros días era como un refugio de felicidad estival para su corazón con reminiscencias de ríos caudalosos y pájaros de vuelo corto reflejados en sus aguas, de calas blancas con algas en la arena, hoy la llenaba de melancolía.

Por supuesto, era ridículo preocuparse –y decía preocuparse para evitar una palabra más dura y crear círculos y círculos de encono por culpa de la palabra– por una mañana sin besos. Pero ¡le gustaban tanto los primeros besos matutinos...! Sabían a sueño, como si el sueño desvanecido regresara por los labios de él y se dirigiera hacia los ojos que se cerraban y querían dormirse de nuevo. Aquellos besos que se daban jugando valían más que cualquier otra cosa. Uno, dos, tres, cuatro, cinco... Isla Saint-Louis, Châtelet, calle Montyon... diecisiete, dieciocho...

Ahora, la ducha. Era como si lo viera bajo la lluvia recién iniciada, con los ojos cerrados y buscando a tientas la toalla que solía dejar a un lado de la bañera. La encontraba, mantenía el brazo extendido para que no se mojara y dejaba que transcurrieran cinco minutos. Extravagancias. Como la de comer caramelos cuando tomaba el baño completo, el cuerpo en remojo y la boca llena de dulzor.

Se ha acabado. El amor se acaba. Y acaba así, quietamente. Cuanto más tranquilo se lo imaginaba bajo la ducha más crecía su ira. Lo abandonaría. Se veía preparando las maletas. Y los detalles eran tan reales, su imaginación los creaba tan vivos, que casi sentía en la punta de los dedos la suavidad de la ropa sedosa que, una vez doblada, guardaba con amargura en una maleta demasiado pequeña para que todo cupiera en su interior. ¡Oh, sí, se iría! Se veía en el umbral. Saldría de casa al amanecer; bajaría la escalera sin hacer ruido, casi de puntillas.

Pero él la oiría. No le despertarían los pasos leves, sino una misteriosa sensación de soledad. Bajaría tras ella como un loco, la cogería del brazo, ya en el primer piso. El diálogo sería breve, con silencios más elocuentes que las palabras.

–Me marcho para siempre –le diría en voz baja.

–¿Qué dices? –preguntaría él, atónito.

¿Podría abandonar tanta ternura? La miraría tristísimo: tantas palabras, tantas calles de París, tantos atardeceres, cuando apenas soñaban del amor... Ahora, no importaba. Miraba el mapa. Frente a cada edificio importante le había dicho: «Te quiero». Le había dicho «te quiero» al cruzar una calle, sentados en la terraza de un café, bajo cada árbol de las Tulleries. Escribía «te quiero» en un trozo de papel, lo convertía en una bolita y, a escondidas, se lo ponía en su mano, cuando ella menos lo esperaba. Escribía «te quiero» en una maderita que arrancaba de la caja de cerillas, en un cristal empañado del autobús. Le decía «te quiero», así, con una inmensa alegría, como si no esperara nada más, como si la felicidad consistiera tan sólo en poder decir «te quiero». Allí donde ahora se detenían sus ojos, en el extremo de la isla –el agua y el cielo eran azules, tiernamente azules el horizonte y el río–, también le había dicho «te quiero».

Veía la Place de la Concorde un lluvioso anochecer. El reluciente asfalto reflejaba las luces y, en el suelo, de cada luz, nacía un río de resplandor. Como si contemplara la calle desde una azotea, veía avanzar un paraguas. Una gota de agua en el extremo de cada varilla, y, alrededor del minúsculo paraguas, París: los

tejados, las chimeneas, las hilachas de niebla, las calles profundas, los puentes sobre el agua lisa. El mal tiempo había guardado en el interior de las casas a las mujeres que hacen punto en los parques junto a los niños más rubios y había dejado en la calle a los que se aman y a las rosas y a los tulipanes de los jardines. Los había dejado a ellos bajo el paraguas, con sus «te quiero» ya recíprocos, y una gran nostalgia de amor.

Aún en el rellano del primer piso, ella diría: «¿Por qué quieres que me quede, si ya no nos queremos?» Utilizaría el plural, no porque fuera verdad, sino para que su decisión le pareciera a él irrevocable y le obligara a creer que nada podía evitarlo. En la calle encontraría lluvia. No la lluvia de los enamorados, sino la de aquellos a quienes la vida convierte en seres tristes a golpes de amargura, la que trae barro y frío, la lluvia sucia que solivianta a los pobres porque estropea vestidos y zapatos y hace enfermar a los niños que se empapan los pies al ir a la escuela. Subiría al tren maquinalmente. Un tren con los cristales sucios, con miles de gotas deslizándose en hilillos. Después seguiría el ruido de las ruedas y el silbido estridente. *Fin.*

Iniciaría otra vida. Debería emprenderla sin añoranza, con mucha fuerza de voluntad. Decir: «hoy empiezo a vivir, detrás de mí no hay nada». ¿Cómo la acogería su hermana? ¿Y su cuñado?

Encontraría a Gogol, gordo, torpón, con el pelo blanco, sucio; con los ojos sin vida, salpicados de manchas rojas. Su cuñado lo bautizó con dicho nombre en la época de su pasión por la literatura rusa, pasión que fue sustituida por los crucigramas. Lo había encontra-

do hecho un ovillo, como una piltrafa, en una cuneta. Conmovido, lo metió en su Ford y no se dio cuenta de que estaba ciego hasta que lo tuvo en casa. Marta protestó. ¿Para qué serviría un perro ciego? Pero daba tanta pena dejarlo tirado... Caminaba despacio, con la cabeza gacha, y tropezaba con los muebles. Cuando, tumbado en el rincón o en medio de una habitación, se acercaba alguien, alzaba la cabeza como si mirara al cielo. Se lo quedaron. Pero deprimía verle.

«Buenos días, Teresa», diría su hermana al verla; «sin avisar, como siempre. Pedro, ha llegado Teresa, deja el crucigrama y ven...». Todo serían alegrías. Sentiría una soledad inmensa; la casa en las afueras del pueblo, con la marquesina sin cristales –no porque se hubieran roto sino porque nunca llegaron a ponerlos–, le parecería sórdida. Las paredes estaban llenas de dibujos realizados por Pedro a ratos perdidos, unos dibujos surrealistas abominables que daban vértigo.

«¡Qué sorpresa, cuñada!» Veinte años de burocracia no le habían hecho perder vivacidad en su manera de hablar, ni su risa fresca, pero había tristeza y ansiedad en su mirada: era la mirada de alguien que se ahoga y que no tiene voz para pedir ayuda.

Se le empañaron los ojos. Ya no veía los colores del mapa, tan suaves.

En el baño, ahora, reinaba el silencio. Estaría poniéndose la corbata, estaría peinándose. Saldría enseguida. Deprisa, deprisa, pensó: poder hacer retroceder el tiempo, volver atrás. Volver a la casita del año pasado, junto al mar. El cielo, el agua, las palmeras, el fuego rojo del

sol poniente reflejado en los cristales del balcón. Un jazmín en flor en el balcón. Y las nubes, las olas, el viento que cerraba violentamente las ventanas... Lo llevaba todo en el corazón.

Un estallido de sollozos y suspiros sacudió la cama. Lloraba con desespero como si un río de lágrimas se empeñara en brotar de sus ojos. Cuanto más intentaba contenerse más se acentuaba su dolor. «Teresa, ¿qué te ocurre?» Él estaba a su lado, sorprendido e indeciso. Oh, poder detener el llanto, dominarse... Pero aquella voz provocó otra crisis de lágrimas. Se sentó en la cama, muy cerca de ella, la rodeó por los hombros con un brazo y le besó los cabellos. No sabía qué decir, no comprendía. Volvía a tenerlo. Lo tenía a su lado, con todo lo que había en el mapa y más. Mucho más de cuanto puede expresarse con palabras; su olor a agua era la lluvia en el paraguas, sobre el río liso y erizado, las gotas irisadas en los extremos de las hojas, las gotas escondidas entre los pétalos de las rosas. Las rosas no bebían aquellas gotas irisadas, secretas. Las guardaban, como ella los besos, celosamente.

¿Podía decirle la verdad? Ahora que lo tenía a su lado, con la angustia reflejada en el rostro ladeado hacia el suyo, tan absolutamente entregado a ella, el drama montado en media hora se deshacía como la nieve al sol. «¿No me dices qué te ocurre?» Le apartaba los cabellos de las sienes, suavemente, y la besaba. No podía hablar, sentía una gran calma. Él arrojó el mapa al suelo, la abrazó como si fuera una niña. La quería de veras, pensó, y él nunca hubiera podido imaginar las tonterías en

las que ella pensaba. ¡Habían hecho tantas cosas juntos! Eran un solo ser en medio de todo el mundo.

Y aquella muchacha airada, que quería coger un tren, que quería huir y bajar la escalera a escondidas y precipitadamente, desaparecía. Se la llevaba el humo, como a las brujas. Salía por una chimenea imaginaria, el viento se apoderaba de ella y la deshacía por completo. Encogida, era una muchacha sin espinas, sin exabruptos, una joven que se quedaba, ignorando que cuatro paredes y un techo de ternura la aprisionaban tiránicamente.

¿Te gusta Brahms?

Linda Berrón

Esta es la historia de un encuentro. Un encuentro necesario en el momento justo. Sugiere que la vida se las arregla para sorprender a los mortales con regalos inesperados.

Se piensa entonces que no es casualidad, sino el reflejo de la inteligente armonía del universo. Los enamorados lo han sabido siempre, al margen de la moda filosófica de su época.

Los personajes de esta historia, cada uno por su cuenta, encallaron en la misma duda, al mismo tiempo: ¿habría llegado el momento de rendirse o podrían esperar aún algo de la vida?

1

Acabas de cumplir cincuenta años por primera vez. ¿No es interesante? Aparte de ironías, tiene su magia ver la realidad así, descubrir las cosas que suceden por primera vez; tener fe en que seguirán sucediendo. Es un aliciente, como si fueras joven. Eso es ser joven

justamente, esperar, lo nuevo al doblar una esquina. Imprescindible la imaginación: una de las cosas más útiles de la vida.

Esta es Eloísa frente al espejo. No se sabe quién habla a quién. A veces es la del espejo, que no tiene ni pasado ni futuro y es libre de hablar lo que quiera. Otras veces es la Eloísa histórica, la que se empeña en ver su vida como un hilo marcado por nudos deterministas: hija de inmigrantes, esposa abandonada, madre de una hija escapista, mujer sin raíces y rematadamente sola. Y para colmo, una barbilla diminuta pegada al maxilar inferior: la fragua de su identidad acomplejada. Esto lo sabe ella, la del espejo y alguna amiga que le dice siempre exagerada.

Hace cuatro meses que se pensionó. Esta es su precisa situación actual: el limbo. Le sobra el tiempo, la piel, el idioma, casi todo. Ahora más que nunca. Siempre se puede estar peor, y descubrir esto es lo que más le asusta. Al menos antes la salvaba el rito laboral, la direccionalidad que tenía su vida por las mañanas. Odia los calendarios y los relojes. Trata de llenar el tiempo. Al despertar, se pone el buzo y camina a una hora. Un día mientras caminaba, creyó ver a sus pies un hueco sin fondo: eso había después. Miró hacia el frente y siguió caminando, admirada de sí misma, de albergar semejante instinto de sobrevivencia.

A partir de ese día, sin embargo, se ha unido al grupo de vecinas. Caminan todas juntas a paso ligero, como un pequeño batallón de reserva. Un batallón sin retorno, murmura la Eloísa histórica.

No puedes seguir así, administrando saldos, tenga, aquí está el resto de su vida, vea a ver qué hace, cuide

su cuerpo, calcio, hormonas, vitaminas, para que el final sea más llevadero, pero olvídese de disfrutar de la vida porque ya es tarde. ¡Por favor! Mientras se vive se vive. El fin es sólo una palabra.

Eloísa deja el espejo. Sus ojos se posan en el frasquito de Retinol. Recuerda a sus amigas durante la fiesta de cumpleaños. Las *opals*, decían, *old people with active life style*, están de moda en Estados Unidos, los años de oro, y con humor. ¿Quién va a oponerse a la realidad estadística? Ni la astuta publicidad.

Antes era peor. Esta es Roxana, la optimista. Protegidas y encerradas, un hijo cada año. Como la princesa Taj; cuando murió a los treinta años, después de dieciséis hijos, el sultán le construyó el Gran Palacio del Amor. ¡Hay cariños que matan!

Ella puede decirlo, pensó Eloísa, pero vivir sin cariño es una muerte lenta.

Recuerda que mañana tiene que ir a retirar la pensión. Sale del cuarto y se pone a regar las plantas, minuciosamente. No quiere ser una ancianita color pastel. No sabe todavía qué quiere ser, si todavía puede ser otra cosa que esta desconcertada mujer que habla sola para mantener el vocabulario y la perspectiva de sí misma.

Inicia la rutina de acostarse. Lamenta haber terminado el libro que Roxana le trajo de México. Dichosa Roxana. Se sienta en la cama, alza la camisa de dormir, coloca el pie izquierdo en los regazos y extiende suavemente la crema. Le encanta la sensación cuando un dedo se resbala. Le gusta jugar con sus pies, son finos y hermosos, compensan su barbilla retraída.

Y el armario lleno de zapatos, ¡esos gustos de faraona!

2

Suenan las flautas barrocas, Vivaldi, Corelli. Las aguas se aquietan en el alma de Anselmo; un negro profundo y brillante alcanza la superficie. ¿Habrá algo de cierto en eso del destino? ¿Estarán escritos los avatares de nuestra vida con la tinta astral del universo? ¿Programada nuestra cuota de felicidad o grandeza en la escalerilla genética como el color de los ojos o la calvicie precoz? ¿Napoleón sólo pudo ser Napoleón o pudo ser un artesano cualquiera?

¿Carlos V sólo pudo ser Carlos V a pesar de haber nacido de una princesa loca en un retrete de Flandes?

Anselmo medita: cuál es mi estrella; tan opaca es como para depararme un destino tan pequeño, a mí que tantas grandezas soñé en mi juventud. Y qué resultó de tanta ensoñación. Eso fui: ingeniero agrónomo pegado a una silla del ministerio, al asiento del jeep del ministerio, con cinturón de seguridad para no salir despedido con los cambios de gobierno, con los cambios en el mundo, con la caída del muro, los terremotos, los eclipses; ahí adherido a un tronco seco que medio flota en una charca sin corrientes; ni asesor he sido, ni viceministro, ni diputado, ni siquiera rico o enriquecido; pequeño pez entre tiburones. Tres filas de dientes tiene un tiburón. Y no sé los humanos triunfadores dónde atesoran las armas que les regaló el destino. Yo

tengo todas las piezas dentales, ni una me falta, mordida perfecta para roer los pequeños fracasos cotidianos... este ridículo éxito de una pensión tempranera. Y ella, costilla, media naranja, sexo débil, ahí está pasándome por la nariz su cadena de boutiques, sus fajos de billetes, su planilla de empleados, su BMW, su amante treintañero, liberada, me dice, de esta ancla mohosa y aburrida que he sido yo toda la vida.

Y los hijos se quedaron con ella. Fue él quien tuvo que salir del que había sido su hogar casi toda la vida.

Terminan las flautas de sonar. Anselmo se levanta. Ha oscurecido ya. Se pregunta si no debería escuchar más a Wagner o afilarse los dientes o volverse ciego y caminar con un bastoncito blanco.

Se acerca a la ventana. Una niebla luminiscente viene bajando por la ladera de la montaña. Regresa al equipo de sonido, y coloca otro compacto. La Sinfonía Fantástica.

3

Eloísa se viste y se peina con esmero. Quiere causar buena impresión, asegurarse un trato amable en una situación que presiente algo equívoca y humillante. Tal vez yo no debería estar aquí. Lo siente al entrar al enorme salón donde atienden al público. ¿Cuál es su lugar? ¿Para cobrar la pensión, por favor? Aquí, le señalan. Para cobrar sólo hay una fila. Sin cordones, ni líneas, ni nada que le indique su camino, discurre sinuosa y desconcertada hasta casi la puerta de la calle.

Se coloca al final, la espalda al descubierto. Mira hacia atrás con frecuencia. Sigue siendo la última, nadie más llega. ¿Me habré equivocado de fila? ¿Me darán el cheque realmente? ¿Me regalarán ese dinero sin trabajar, sólo por ser vieja, por haber vivido demasiado, para que me salga de la cancha para siempre, sin protestar? Se queda pensando en las cuotas, deducidas mes a mes; en los años consumidos, ahora nada, peso turbio, flecos enganchados en minucias. Toda la vida es historia pasada. ¿Esto era la realización personal: una estafa, soledad y desperdicio?

Suspira, mira hacia el mezanine. Los funcionarios deambulan con papeles en la mano por los altos corredores. Se ve a sí misma haciendo lo mismo, pensando alguna vez que su trabajo era importante, que alguna cuota del Poder del Estado descendía hasta su escritorio. No era cierto, pero algo ha perdido sin embargo. Baja la mirada. Ve unos pies que se acercan. Un señor de oscuro se ha puesto en la fila detrás de ella. Vuelve a suspirar. Se tranquiliza con el falso consenso de estar muchos en lo mismo; pensionados anónimos.

Otea la lejana ventanilla. Sobre ella, un mural grandilocuente y vacío como los discursos políticos. Después la fila: una lenta sucesión de viejos y tullidos. ¿Este es el camino que resta? ¿Veinte o treinta años más así? ¡Qué ganas de tener setenta de una vez y estar ya a la par de la ventanilla! Si me oyera Roxana se reiría de mí. Más bien se indignaría. ¡Cómo lucha a brazo partido con la edad! Se tiñe el pelo, se pone jeans y se cita con los hombres al atardecer: la hora en que las sombras son alargadas y todas las mujeres hermosas.

Eso dicen los birmanos según ella. Y tiene éxito, nunca le faltan citas. ¿Quién dice que faltan hombres? Y encima se ríe. Pero Roxana es especial, debe ser algo genético. Tiene una cara bonita y una barbilla normal, por lo menos normal.

Un episodio recurrente le asalta la memoria: los niños del barrio imitando su barbilla escondida, su flacura extrema; la risa, la burla, jueputas, y ella corriendo a su casa, oculta tras la cancela de hierro, llora la rabia y la autocompasión por un rato y después sale airosa a la calle, a jugar como si nada. Siempre vio a la gente como un público difícil.

Observa a las personas a su alrededor; con más detenimiento a las que la preceden en la fila. Se apoyan en un pie, luego en el otro. Se miran, comentan: esto no se mueve, fingiendo tener prisa como esos zaguates que recorren apresurados las calles como si alguien los estuviera esperando.

Pertenezco a esta fila para siempre; tendré que resignarme. Esa puede ser la felicidad después de los cincuenta: la paz interior del que no lucha ni espera nada. Otro nombre del aburrimiento. Ya lo dijo Beckett: el hombre se pasa la mayor parte de su vida en mortal aburrimiento. A veces sufre y de vez en cuando goza. Beckett tenía ochenta años cuando escribió eso. Si fue feliz, ya no se acordaba. La felicidad del pasado no sirve de nada. Se tiene que inventar todos los días. Tú también fuiste feliz algunas veces, no lo niegues. Pero ¿de qué te sirve ahora? Y si hubieras sido feliz todos los días de tu vida hasta ayer, tampoco te serviría de nada. La del espejo es lapidaria y adora la Verdad por-

que no tiene miedo. Su tiempo es el presente. El califa Abderramán III debió plantearse esta cuestión o alguna parecida. Antes de morir anotó en su testamento los días de su vida en que fue genuina y auténticamente feliz: catorce.

Eloísa está tratando de recordar los momentos felices de su historia, cuando de pronto siente un golpe en el brazo. Una anciana bajita y desmelenada le pide paso con rabia. Al sentir su roce, recuerda el sueño que tuvo la noche anterior.

Un escenario lóbrego; un automóvil antiguo rebosante de equipaje. Tenía que darme prisa, me iba de viaje en aquel auto. Me urgía ir al baño. Corrí por un pasillo de azulejos abombados y abrí la última puerta, cortada en los extremos como la de un *saloon*. El inodoro estaba altísimo y me costó subirme a él. Escuché pasos, ruidos violentos, una voz de hombre. Me buscan, deduje. Ya me estaba bajando del inodoro cuando otro cuerpo empezó a desprenderse del mío. Me salía del pecho, del abdomen, de las piernas; se despegaba de mí o mi cuerpo se desdoblaba. Ella llegó al suelo antes que yo. Era una anciana horrenda. Hedía como si ya estuviera muerta, sin embargo parecía contenta mientras se iba en mi lugar. Al poner el pie en el suelo, me desperté bañada en sudor: el mismo calor sofocante que me ha estado mortificando en los últimos tiempos.

Se recupera del golpe bajo al cuerpo. Se yergue bien, mete el estómago, endurece las nalgas y aprovecha para hacer la gimnasia vaginal que le ha recomendado el ginecólogo. Como parte del esfuerzo disuasor de

fantasmas, se vuelve y le pregunta al señor de atrás: ¿usted cree que lleguemos a la ventanilla? Él la miró en silencio, como si le hubieran planteado un enigma insoluble. ¿Cuánto tiempo hacía que no la miraban así? No era el típico pasar los ojos por encima, enfocar un segundo la mirada mientras se conversa o para no chocar. Era mirar, contemplar, escudriñar eso etéreo que hay detrás de la máscara de carne. Esa parte de Eloísa que había dejado de suscitar interés en los demás. Esa parte es la que ahora se desconcierta, se agita, baja los ojos y se da la vuelta. Sí, sí vamos a llegar, le escucha decir. Una voz dulce. Eloísa no añade palabra alguna. Sólo piensa con una felicidad íntima y pequeñita en su mirada: más que un halago, algo cercano al espaldarazo que se le da a un caballero; una manera de subrayar su ser, de enfatizarlo.

Qué ganas de volverme, que me mire otra vez, el escalofrío de sus ojos. Le intereso. Y por qué habría de interesarle, yo, Eloísa, con cincuenta años y esta barbilla. Qué lindo ir al cine con él y después a cenar. Un sueño. Todo es un sueño fuera de la condena diaria, la bola negra de un preso, reclinarse en la mecedora, a los pies el perrito domesticado de la soledad que a veces enseña los dientes, sobre todo cuando juega el papel de esa figura tonta que aparece en casi todos los grupos familiares: la mujer sola, soltera, viuda o divorciada, la tía o la abuela, formando ese impar asimétrico en un extremo de la sala, en un asiento del auto, en un rincón de la playa, papel que detesta, escrito como está en el hueco que se abrió a sus pies una mañana, cuando percibió la vida como ese abismo que se vis-

lumbra entre las tablas de un puente colgante; la fría certeza de no ser casi nadie en este mundo, aun en los grupos de salvamento de mujeres solitarias que juegan naipe, beben, hablan de sus nietos o de la liposucción, o sueñan como ella ahora, y los sueños, sueños son. La verdad es esta fila, la tristeza que afloja los músculos, entorna los párpados, se limpia el sudor con el dorso de la mano, se inclina levemente hacia atrás, el sofoco, el mareo. Él la sostiene, la toma de los brazos, ¿se siente mal? ¿desea sentarse? La conduce hasta los bancos de madera donde la deja descender con suavidad mientras sus ojos de oscuro mapache la siguen contemplando.

–Si gusta le cuido el campo, le dice. Y sonríe.

Le observa caminar. Cómo pudo hacer un gesto tan perfecto, tan sabio, tan armonioso. Me gusta como camina... *con flores en el ojal,* recuerda. ¡Qué cálidas sus manos!

Este es Anselmo. Observa a Eloísa sentada en el banco: borrosa, pequeña. La indefensión vuelve niñas a las personas y a veces sólo otro ser indefenso puede reconocerlas desde unos ojos de equivocada presbicia. Él es présbita; astigmático y présbita. Pronto cumplirá cincuenta y uno y la única pasión sobreviviente que le queda es la música.

La vida, que a veces es más generosa de lo que podría suponerse a juzgar por el promedio de días felices en la mayoría de los mortales, lo ha traído a esta fila del desamparo en el momento justo.

La noche anterior, mientras Eloísa hablaba con el espejo, Anselmo escuchaba la Sinfonía Fantástica. Desde el ventanal de su cuarto, observaba las luces lejanas confundidas con los carbunclos. Después la niebla bajó por

la montaña y lo cubrió todo con una nostalgia fosforescente. En el éxtasis del último movimiento, muy cerca de la agonía, Anselmo le rogó al cielo que algo sucediera, que algo nuevo viniera a tomar el relevo del antiguo y agotado deseo de vivir. Probablemente lo hizo en el momento exacto en que la Eloísa especular proponía una visión expectante y esperanzada de la vida.

Los dos se miran como náufragos en el mismo islote providencial.

4

Los sucesos pueden leerse de tantos modos como la gente quiera porque la realidad es complaciente con el fantasioso intelecto de los mortales.

Desde el estricto punto de vista de su historia personal, lo que va a suceder en el vestíbulo del edificio puede tomarse como un catalizador de la duda inicial: ¿habrá llegado el momento de rendirse, de apuntarse al equipo perdedor?

Un estruendo de voces los distrae de su cortejo visual. Los demás, sin abandonar sus puestos, miran hacia la puerta de entrada. Desconcierto, zozobra. Lo inesperado contraría a los mayores. Eloísa se levanta y regresa a su lugar. Se sonríen y miran al mismo tiempo hacia atrás. Un numeroso grupo de gente ha irrumpido en el gran vestíbulo; hombres y mujeres, todos ancianos. Las caras tensas, los gestos iracundos; con esa ferocidad goyesca que sólo alcanzan los rostros de los viejos. Algunos levantan bastones, otros, sus

manos nervudas. Algunas mujeres chillan. Detrás de los primeros, sigue un fluido lento, con algo de mancha, de líquido espeso.

Uno de ellos, flaco como un clavo de acero, se sube a un banco y empieza un discurso con tono de viejo sindicalista fuera del tiempo.

–¿Son comunistas? –pregunta ella.

–No creo –contesta él–. Estos no son ni comunistas, ni liberacionistas, ni mariachis, ni nada. Simplemente están hartos.

Las filas desdibujadas y atentas, escuchan. No permitirán que el gobierno les quite la plata a los asilos para dársela a las universidades. Ellos también saben armar bochinches. Tendrán fuerzas para luchar por sus derechos. Los pensionados deben unirse a ellos. A eso han venido: a buscarlos. Es una lucha de todos. ¡Todos a la casa presidencial! Todos, porque ahora eran los asilos; después vendría el festín de las pensiones, las suyas, las pensiones de hambre, porque las otras, cincuenta y cien veces más altas, son intocables y los privilegiados invisibles. ¿Cuándo habían visto a un diputado, a un juez o a un rector de universidad con sus corbatas y sus cuarenta y pico de años venir a hacer fila aquí? Nunca. Ni los verían. ¿Y nosotros, quién luchará por nosotros? ¿Los políticos? ¿Nuestros hijos, nuestros nietos acaso?

Él se volvió a mirarla. La vio asustada. Tenía la expresión de quien se asoma al interior de un tugurio y desde adentro le dicen: pase, pase.

–¿Cómo se llama usted?

–Eloísa. ¿Y usted?

190

—Anselmo Benavides. Y después de un silencio, ¿tiene algo que hacer ahora?, ¿quiere almorzar conmigo?

Ella dice que sí en seguida, demasiado rápido, pensó. Y también, que por primera vez, era una dicha no tener nada qué hacer.

5

—Pensé que nos darían un cheque, dijo ella apretando la cartera bajo el brazo.

Salen juntos del edificio. Los espera el sol del mediodía. Lotería, mangos verdes con sal, libros, periódicos. En el *Extra* la noticia roja: una pareja de ancianos brutalmente asesinados a golpes.

—Antes era más fácil envejecer –susurra. Y continúa pensando en silencio. Desalojados. Expulsados con firmeza. Es fácil amedrentarlos, basta un insulto. Tal vez lleguen a la casa presidencial. Nada va a cambiar sin embargo. Se vislumbra el camino. ¡Qué pereza los ancianos y los niños! Se llega al punto social en que los extremos cronológicos salen sobrando. Se abandonan, se ocultan, se matan.

Anselmo la observa con genuino interés. Su mirada es como para arreglar el mundo, piensa ella.

Se disponen a cruzar la calle. Sonríen, caminan con soltura: la ilusión de un encuentro, el presentimiento de poder ser felices. Pero un bus destartalado los arrincona; toma la curva con furia, el espejo a una cuarta de sus cabezas. Vulnerables en esta ciudad irrespirable

y hacinada, como pequeños animales sorprendidos al cruzar una autopista.

Él la toma del brazo. Al menos juntos. Llegan al restaurante, fresco y silencioso. Antiguas fotografías de la ciudad decoran las paredes. El tranvía de antaño. Hierro forjado y mármol, mesas de una vieja estación. Se sientan con la esperanza reverdecida. Se miran y se gustan. Comen y beben despacio. Se cuentan su vida a grandes rasgos, como quien recuerda una enfermedad pasada y ambos ocultan las heridas. Apenas se menciona que «él» se marchó con una mujer muy joven y que «ella» se fue con un negocio de importación de ropa. Pero les queda claro que están solos, que el mundo es inhóspito y la vida muy corta.

6

Esta mañana le sobra el tiempo, más que nunca; como el deseo de empujar las agujas del reloj para que sean pronto las siete, la hora de encontrarse con Anselmo. Ha limpiado la casa como lo haría un fantasma. No tiene ganas de cocinar. Es tan violento cocinar para una sola, reconocer la necesidad animal de alimentarse, la reducción a lo mínimo. Se puede hacer a mordiscos, de pie, asaltando el refrigerador, brevemente.

Regresa al cuarto y se mira en el espejo. Quién eres. Extraña necesidad de buscarse, de saber qué puede ofrecer de sí misma y si eso podrá gustarle a alguien, a Anselmo. Mira los álbumes de fotos. Un pasado que generalmente se prohíbe contemplar para evitar el

dolor de lo perdido. Especialmente las imágenes hogareñas con él y con la pequeña Elida en brazos.

Escoge el pequeño álbum negro con lazos verdes en el lomo. Ahí está la niñez, la cantera de penas y alegrías. Aquí está ella, muy pequeña, en el país de sus padres, muy sola, como una premonición de la vida, buscando siempre el idilio imposible que permita compartir la conciencia de ser, de estar en el mundo, de sobrellevar un cuerpo cuyo significado nunca estuvo muy claro. Se mira con distancia, con cierta indignación. ¿Quién es esa niña?

Si observa la fotografía, verá que la niña está a punto de llorar, o tal vez ya ha llorado mucho. En la foto, sepia y agrietada, se aprecia bien la expresión de angustia: vea sus ojos negros y enormes, la curva del labio inferior, su barbilla diminuta, las manos a la altura del estómago. No cabe duda: está a punto de llorar o ha llorado mucho. En la esquina derecha, se ve un pie de señora. Un zapato negro, de tacón cuadrado. Se ve la punta de lo que debe ser el bolso. Cerca de la niña sólo eso, un pie que pasa veloz. Detrás de la niña, una amplia explanada de cemento, gente desperdigada, pequeña. Al fondo, un monumento, unas fuentes, no se aprecia bien, estamos muy lejos. Sólo la niña se aprecia con todo detalle. ¿Cabría preguntarse ante esta foto, qué hace una niña de máximo tres años, a punto de llorar o después de haber llorado mucho, en medio de una enorme explanada donde transitan apresuradas señoras que ni siquiera se detienen a consolarla? ¿Y no podríamos preguntarnos también qué corazón de piedra está tomando una foto a una niña sola y llorosa

en lugar de acercarse con solicitud, agacharse a la altura de sus ojos color malva y preguntarle dónde están tus papás? ¿Puede imaginarse la angustia de la pequeña cuando el abandono y la tristeza le atenazan la garganta y le impiden contar que se ha perdido y está sola en el mundo?

Cierra los ojos y siente desbordarse el pozo interno con el aceitoso jugo de la tristeza.

Anselmo, Anselmo, repite, con un deseo arrebatado de abrazarle.

Regresa el espejo. Nada más aburrido que una mujer triste. Sonríe, pero le sale una sonrisa como la de Míriam, de la nariz para abajo para evitar las arrugas. No le gusta. Quiere agradarle pero siendo ella misma. Cancelada quedó la época en que fingía deseo para obtener amor, mientras él fingía amor para obtener sexo. Un espantoso malentendido. Por eso el fracaso llegó pronto, inevitable. A pesar de la pequeña Elida.

Ahora es diferente. El tiempo ha pasado, ella ha cambiado. Su circunstancia es otra, su edad, también. Lo desea. El demonio del mediodía, tal vez.

¿Y él? ¿Qué querrá Anselmo de mí?

7

Aquí están, en la casa de Anselmo, la cabaña olorosa a oscuras maderas. Un bambú chino junto al ventanal. Al otro lado, las luces de siempre prendidas en las montañas. Nada se escucha, a veces un grillo inter-mitente. Recorren lentamente la planta baja, aquí la

cocina, allá el baño. Y mi cuarto queda arriba; una hermosa vista.

La explicación queda en el aire, una cálida nube de vapor. Aunque no lo hubiera mencionado, los dos pensaban en eso. Tal vez han pensado en eso durante las últimas tres semanas: a la salida del cine, del teatro, del concierto; en el paseo dorninical al paradero lacustre; cuando la llevaba a casa en el carro y se despedían con un beso dulce cada vez más cerca de los labios. En la boca, la última vez. La última vez, también dejaron el usted que iba sonando ya a bolero, a *usted es la culpable*. Abandonaron el intercambio de síntomas y remedios; las hierbas curanderas que él le traía: sábila, juanilama, saragundí. Caminaban por la calle tomados de la mano y reían nerviosamente, espiando observadores. ¿Somos ridículos? ¿Tenemos derecho todavía a ser felices?

El deseo les rondaba. Esta noche, el aroma nocturno de la montaña los tiene sitiados. Sí, posiblemente esta noche... se supone... en caso de... dónde... Eloísa piensa en su ropa interior, eso le viene a la cabeza; sus pechos grandes y pesados, sus muslos voluminosos. Piensa así como si quisiera mortificarse, adelantarse al miedo, o al fracaso, a pesar de haber deseado este momento durante tantas noches. Mira a Anselmo que le ofrece una crema de jerez. Toma la copa y bebe. Queda de perfil y recuerda la larga cara aristocrática que siempre quiso tener, nariz aguileña y barbilla puntiaguda incluidas, como Merryl Streep, lejos de esta redonda cara estándar. También recuerda a Roxana, ella haría mejor papel, a Anselmo le gustaría más.

—Delicioso —dice, y camina hasta el sofá donde se sienta.

Él ha observado sus hermosas caderas, amplias, musicales al caminar; las piernas torneadas y sobre todo, le turba aquella manera reposada y señora que ella tiene de llevar su propio cuerpo, la oscilación inquietante del cuello cuando lo inclina un poco hacia la izquierda para mirarle, como si preguntara: ¿todo bien?, ¿se va a atrever?, en caso de..., ¿usted podría?... ¿Habrá sospechado mi problema?... No quiero pensar en eso, ni temerlo, ni sugestionarme. En la mayoría de los casos es psicológico. Su mujer le despreciaba, ¿qué emoción erótica puede provocarnos una mujer que nos desprecia? Y la compañera del ministerio con la que estuvo saliendo cuando se quedó solo, tampoco ayudaba mucho: una joven agresiva que se sacaba todos los clavos feministas humillándolo en la cama. La bandera patriarcal a media asta, se burlaba. ¿Así les pasa a los viejos que se vuelven maricones? Acosado, presionado, ya no sirves para nada. Así se ha sentido en los últimos meses. Un rehén de la vida.

¿Tendrá que permanecer de ese modo el tiempo que le quede, hasta que la vida decida soltarlo?

8

Eloísa lo mira. Recuerda la última conversación con el espejo, ¿qué hago con Anselmo? Las miradas de mapache ardiente, los tiernos besos y nada más, ¿cuándo se va a decidir?

196

Ella lo había intentado, pero cada vez que daba un paso, por cauteloso que fuera, él retrocedía; por eso tiene miedo de mostrar su deseo, de lo que piense de ella.

La del espejo pontifica: tarde o temprano, con todos los hombres se plantea la misma disyuntiva, ¿tímida-santa o apasionada-puta? No hay manera de acertar. Si hoy te quisieron por recatada, mañana te repudian por frígida. ¡Qué quieren los hombres! Y encima son ellos los que presumen de desconcertados. Ambas recuerdan a Sor Juana: *¿Qué humor puede ser más raro,/ que el que falta de consejo,/ él mismo empaña el espejo/ y siente que no está claro?*

Han pasado casi cuatrocientos años de aquella lúcida imprecación y las cosas no han cambiado mucho. Seguimos siendo la imagen empañada.

–¿Quieres oír música?

–Sí, claro.

–¿Qué te gustaría escuchar?

–Elige tú.

–¿Te gusta Brahms?

Lo dice y se siente ridículo al ver el desconcierto en su cara cuando responde: pues sí, si te parece. Lo que sucede en realidad es que Eloísa se ha acordado de pronto de Agustín Lara y de su último amor. ¡Qué locura! Roxana se lo presentó hace como seis años. Aquel hombre joven y fugaz la había dejado más envejecida que nunca. Y el papel de educadora sentimental, que no le iba para nada, le cansó la iniciativa para siempre.

Recuerda el último día. Ella le había regalado un casete de Agustín Lara, a quién se le ocurre, con vein-

titrés años, para que pensara en ella cuando se iba. Y de pronto, como dos puñales y todas las demás, empezaron a sonar en el apartamento de al lado. Ella siguió besándolo sin darse por aludida, sin preguntar por qué la sonriente y minifaldera vecina ha puesto precisamente ahora esa música, a todo volumen, que tú eres mi vida, que no quiero a nadie, que me falta el aire, y Eloísa disimulaba porque nada más patético que una mujer como ella haciéndole una escena de celos a un muchacho como él. Dejó pasar un rato antes de marcharse. Y él no dijo nada porque se había dado cuenta y le daba igual.

Mientras regresaba a su casa, Eloísa se veía como un cascarón andante. El amor era un líquido de colores, universal y displicente, que fluía por millones de vasos comunicantes. Subía aquí, bajaba allá, y al marcharse, dejaba el vacío limpio y transparente de un aséptico tubo de ensayo.

Creía en ese momento, y lo creyó hasta encontrar a Anselmo, que la arbitraria marea del amor jamás volvería a sus orillas.

9

Suena Brahms, concierto número dos, las impulsivas notas del piano. La mirada de Anselmo se aprieta contra la piel de Eloísa. Calcula. El salto hasta su cuerpo es inmenso. Cómo abordarla, cómo llegar hasta ella, cómo tocarla. Si cerrara los ojos, si estuviera dormida,

si hubiera perdido la memoria de quién es o de quiénes somos...

Eloísa ha percibido el miedo. No es un tirano lo que tiene enfrente, ni un juez. Tal vez, otra víctima. Le sonríe con tanta ftanqueza que Anselmo se siente acompañado y tiene ganas de decirle: esta es nuestra verdad, limpia, sin máscaras, arrancados todos los ropajes que la vida puede arrancar, aceptarla, ser indulgentes. Se acerca a ella y se sienta en la alfombra, junto a sus pies. No le pregunta: te molesta que me siente aquí, como había pensado, porque Eloísa no pudo contener el impulso y le dijo: esta mañana miré el reloj cuando eran las once y pensé que aún faltaban ocho horas para encontrarnos.

Anselmo sonríe, el cuerpo entero le sonríe. Recuesta la cabeza sobre su falda y así le sorprende el tercer movimiento, la música otoñal y apasionada. Sólo eso soy: un hombre abrazado a tus rodillas, piensa, con la entrega más sincera que haya experimentado nunca, besando los mórbidos camanances de su piel desnuda. Ella le pasa los dedos entre el cabello, le acaricia la nuca.

–Me gusta Brahms, le dice.

Él no contesta. Sólo la mira y sonríe confortado.

–Tienes cientos de discos. ¿No tocas ningún instrumento?

–No. De joven quise aprender piano... siempre había algo más importante que hacer.

–Ahora puedes aprender.

–¡Ah, no, no, ya no! Es muy tarde.

–Nunca es tarde. Tolstoi aprendió a montar en bicicleta a los cincuenta años.

–Quién sabe... ¡Hay tantas cosas que quedaron por hacer!

–Sí. Yo siempre quise escribir o pintar –dice Eloísa arriesgando el estereotipo.

Anselmo gira el cuerpo hasta quedar enfrente de ella, el mentón sobre sus rodillas. En el negro iris de sus ojos relumbran tres puntos de luz.

Este hombre no se cansa de tomarla en serio.

–Podemos intentarlo juntos, si tú quieres, haremos lo que nunca hicimos, lo que seguimos soñando a pesar de todo.

–Como ver el cielo por un telescopio, siempre me hizo ilusión.

–Eso es fácil Eloísa, veremos las estrellas, pasearemos descalzos por la playa, ¿has ido a pescar alguna vez? ¡Hay millones de cosas que haremos juntos, millones, Eloísa!

Anselmo, entusiasmado, se abraza a sus piernas, las acaricia, le quita los zapatos.

–¡Qué es esta belleza! –dice al ver sus pies, encantado del hallazgo. Los contempla un momento, se inclina, los besa con mansedumbre y después, Eloísa lo mira, atónita. ¿Qué está haciendo? Está mordiendo las uñas, les está quitando el esmalte.

La miran un momento sus ojos oscuros.

–Me gustan más así, sin pintura. No finjamos nunca nada, sólo nosotros.

Eloísa observa la cabeza de aquel hombre maravilloso que parece comerse sus pies, que devora, como mágico ratón, el muro de soledad y extrañamiento que había ido cercando su vida. Lo contempla con

indecible ternura. Cierra los ojos y ve dos ríos al final de su curso, profundos y lentos, lejos de corrientes y rápidos, sin lastre, dulcemente navegables, sin otro afán que discurrir juntos hacia el mar.

Se inclina y toma entre sus manos la cara de Anselmo. Se miran y se besan. Anselmo se pone de pie, la toma de los brazos y la levanta con firmeza.

–Ven. Te voy a enseñar la vista desde mi cuarto. –Y lo dice con una voz nueva que ella no le conocía.

SE DESMAYAN, REVIVEN, RESPLANDECEN

Descubre tu presencia,
y máteme tu vista y hermosura;
mira que la dolencia
de amor, que no se cura
sino con la presencia y la   gura.

¡O christalina fuente,
si en esos tus semblantes plateados
formases de repente
los ojos deseados
que tengo en mis entrañas dibuxados!

San Juan de la Cruz,
Cántico espiritual, 11-12

MALENTENDIDOS

Adolfo Bioy Casares

X me decía verazmente: Laura siempre me busca. Por su parte, ella me explicaba que lo quería de un modo casi fraternal, pero que sentía aversión por su cuerpo, y circunstanciaba, precisaba el desagrado. ¿Por qué no entendíamos que era del amor de quien estaba enamorada y que en los brazos más horribles, aún en los de su amigo, sólo buscaba al dios?

Jabón

Juan Carlos Onetti

No hizo ninguna seña para que Saad detuviera el coche. La figura estaba quieta y paciente, tal vez aburrida, al borde del camino, junto a un árbol del que empezaba a surgir la primavera como pequeñas lanzas de un verde aún indeciso.

Saad detuvo el coche frente al árbol y vio la gran maleta negra, vio que la persona que le sonrió tenía una cabeza de mujer, joven, extraordinariamente hermosa, un suéter rojo que cubría el pecho sin la menor sospecha de senos; un pecho liso de varón; pantalones negros que no insinuaban el bulto del sexo. Hombre, mujer, efebo, hermafrodita, Saad lo necesitó de pronto, con fuerza y jadeando. Necesitó que subiera al coche, necesitó de aquello con miedo, empezó a creer que lo había estado esperando desde la primera juventud y casi llegó a creer que necesitaría la presencia o cercanía de Ello –el corte de pelo era masculino y no había pintura en la cara– hasta el resto de sus días.

Al entrar, Ello dijo «gracias» y Saad pensó que la voz no había revelado nada. Era la de alguien que hubiera

bebido y fumado mucho la noche anterior, hombre o mujer.

–¿Adónde quiere ir? –preguntó Saad para volver la cabeza y examinar la piel de las mejillas del pasajero: ningún rastro de barba pero el pecho continuaba hostil y aplastado.

–Un poco lejos. Yo le aviso. Siguiendo derecho. ¿Cuáles eran sus planes?

Tampoco había nuez en el cuello blanco. «Eran, pensó Saad, como si Ello hubiera resuelto modificar el viaje proyectado». Y como si pudiera hacerlo, como si quisiera hacerlo, como si estuviera seguro, segura de imponer sin violencia sus propios planes. La gran maleta apoyada en el asiento trasero proponía una mudanza, un querido desarraigo. Y dentro de la maleta estaba la clave del sexo de Ello, si es que tenía alguno. Porque no había signos de la adulterada feminidad de un muchacho invertido; nada de la soterrada virilidad de una lesbiana. Si fuera posible hurgar en la maleta...

No hay planes rígidos por mi parte. Tengo un mes de vacaciones, de no hacer, si Dios quiere, nada que me disguste. Pensaba detenerme en San Sebastián para almorzar. Después seguir hasta Pau donde alquilé una casita que no sé si la voy a encontrar. Si quiere puede acompañarme a almorzar y a perdernos entre pinos enormes buscando la casita. Sólo sé que se llama *Pourquoi pas* y está cerca del paradero del Jabalí.

Ello no contestó; se fue reclinando en el asiento, nuevamente iluminada la cara con la sonrisa y apoyó la nuca en el respaldo como quien se prepara para un largo viaje.

A los pocos días, el deseo de Saad fue creciendo y tuvo momentos de silencio y de escondido dolor junto a la querida, la plácida presencia de Ello. Porque aquella criatura adorada le ofrecía –o apenas insinuaba– su doble cara, sus dos cuerpos y muy pronto el hombre sintió el impulso angustioso de avanzar y oprimir, indiferente a que sus imaginados abrazos rodearan un cuerpo de mujer o de hombre.

Pero quería saber. Y cuando Ello bajaba con la cesta de compras por el caminito sinuoso e impuesto a los grandes espacios de césped verde por la insistencia de tantos pasos perdidos, entraba como ladrón en el dormitorio del monstruo ansiado y escrutaba la cama, las dos mesas, los pequeños frascos de medicina. Lo que no le servía para nada, no revelaba el secreto. La gran maleta negra siempre debajo de la cama, cerrada con llave.

Y cuando él tomaba sol con los *shorts* y el pecho desnudo, Ello se acurrucaba, pantalón negro y suéter rojo, en la sombra del alero de la casita o bajo los grandes árboles para sonreír en paz a la belleza de las construcciones blancas distribuidas sin orden por las pequeñas y suaves colinas.

Tuvo la esperanza absurda, en la que creyó por un tiempo, que iba a matar la duda entrando al cuarto de baño cuando Ello terminaba de bañarse bajo la ducha. Pero solamente husmeando, encontró el perfume del jabón de pino que Ello había hecho espumear en su cuerpo, en su pecho, en la entrepierna que desvelaba el misterio, siempre solo, y sellado para él.

Hasta que, casi de un día al otro, Saad comenzó a aceptar. A desear, más que la posesión física de Ello, la

permanencia del secreto, de la duda. Y ahora vigilaba celoso a Ello, con miedo de que una imprudencia, una frase, le revelara la verdad por cuya ignorancia gozaba ahora en seguir sufriendo.

Veía a Ello trepar el sendero, ágil y rápido, un poco inclinado el cuerpo por el peso de la cesta. Sintió frío y vejez, entró en la casita pensando vagamente qué habría comprado Ello para la comida de la noche.

El cortejo secreto

Oscar Peyrou

A veces, nítida y, a veces, confusa, su cara rodeada de un resplandor suave flotaba sobre la mesa; en algunos momentos parecía una mancha pálida y flexible bajo el agua en movimiento. Era temprano y el restaurante estaba vacío. Sólo se oía el silencio, interrumpido por algunos sonidos aislados y apagados por la penumbra. Al inclinarse ligeramente para comer, su cara perdía los límites y me daba la impresión de que se extendía hacia los lados, a mi alrededor. Cuando hablaba, movía las manos y se arreglaba el pelo. Yo pensaba que esos gestos eran otros adornos, intermitentes y fugaces, pero tan reales como pendientes o collares; anuncios. Creo que tenía puesta una blusa amarilla, más amarilla aún por el color negro de su pelo. Era esa hora en que parece que recién comienza la noche.

Como si se me hubiese ocurrido en ese momento, le dije que a lo largo de los años uno recuerda de un modo más o menos constante sólo a unas pocas personas, congeladas en un instante que entonces parecía efímero. Esas personas ignoran que están tan cerca de nosotros

y que vuelven y vuelven como los naipes de una baraja, ordenados de diferentes maneras. Sucederá lo mismo con mi imagen –seguí–. Yo formaré parte de esa especie de cortejo inolvidable que acompaña a otros, pero nunca lo sabré. Siempre será un secreto cerca de quién está ese recuerdo de mí mismo. Un trozo de película vieja que se repite con ligeras modificaciones.

Me contempló como si no supiera con exactitud a qué me refería, pero dijo que sí, que era verdad. Sus ojos comenzaron a vagar entre los platos y una botella de vino. Tenía los ojos brillantes y traté de mirarla de una manera especial, pero ella no se dio cuenta. Inició una historia muy confusa sobre un compañero de trabajo que se había ido de la empresa. Después de un tiempo había comenzado a extrañarlo, a querer hablar con él. Lo había llamado por teléfono a su casa y se habían encontrado. Él parecía huir de ella y ella no comprendía por qué. Yo sugerí, generosamente, que tal vez estuvieran enamorados. Me arrepentí y agregué que también podía ocurrir que él quisiera a otra mujer. Respondió que no y continuamos hablando de otras cosas. Ella sonreía y yo, para acompañarla, también. Una luz que había detrás se reflejaba en sus manos, en el cristal de una copa o en el borde de sus labios.

Aunque no se notara porque todos llevábamos nuestros disfraces habituales, era Carnaval. Me propuso ir a un teatro donde, para celebrar el acontecimiento, la gente se ponía trajes antiguos, se pintaba la cara, bailaba y cantaba. Sonreí y acepté. Durante el viaje dije algunos chistes e hice un par de comentarios ingeniosos para que la fiesta no decayera. Siempre tengo la sen-

sación de que el control de las situaciones recae sobre mí y que soy el culpable si los silencios se prolongan. Como no me gusta hablar, salir con una desconocida puede resultar una tarea agotadora. Mientras ella estacionaba el auto le dije que yo era como ese pájaro imaginario del folklore norteamericano que vuela hacia atrás, porque no le importa adónde va sino de dónde viene.

Nos sentamos cerca del escenario y miramos en silencio a los integrantes de una escuela de samba brasileña que competían con unos revolucionarios franceses de 1789 para descubrir quién gritaba más. Algunos de los simpatizantes de Dantón tenían un aspecto tan lánguido que uno no comprendía cómo podían haber acabado con la monarquía. Después pasaron por el micrófono dos astronautas, una vaca, un cómico que actuaba por encima de sus posibilidades, una chica que tenía una cabeza o una peluca muy grande y una mujer alta que hablaba interminablemente, aunque eso no parecía tener ninguna relación con su estatura. Cuando alguien decía u ocurría algo gracioso, me volvía ligeramente y la miraba para reír juntos. Nunca coincidimos.

Traté de pensar algo muy divertido, pero no se me ocurrió nada. Sentía con creciente desesperación que el tiempo pasaba con rapidez y con lentitud. Un amigo de ella se sentó a su lado y comenzaron a hablar. Yo permanecí en silencio, mirando el telón que subía y bajaba. La música no me permitía saber de qué conversaban. Imaginé que mi oreja derecha adoptaba diversas formas para mejorar la acústica, pero todo era en vano.

De tanto en tanto, oía palabras aisladas que únicamente agregaban desorden a mi confusión. Todo está perdido, me dije. Tengo que irme. Ponerme de pie e irme para siempre, como hacen los héroes.

Unos días antes había soñado con ella. La buscaba en el último piso de un edificio muy alto. Entraba en un corredor con muchas puertas. Las abría una a una y encontraba grandes habitaciones llenas de sombras borrosas. Cuando ya faltaban pocas puertas, la hallé junto a una ventana, en el extremo más alejado de la entrada. Era una ventana azul y se veía el cielo resplandeciente. Me acerqué. Sus ojos parecían líquidos. A pesar de que me acercaba, la distancia que nos separaba permanecía constante. Al fin estuve a su lado. Nuestros ojos estaban unidos por algo tan poderoso que era invisible. Tenía miedo de que hablase. Nos dimos un beso y nos seguimos mirando. Luego yo caminaba solo hacia el ascensor. Repetía en silencio: «me quiere, me quiere». La cara me ardía y comenzaba a irradiar un brillo cada vez más intenso, hasta que se transformaba en un sol deslumbrador cuya luz atravesaba el edificio e iluminaba toda la ciudad. Yo descendía lentamente.

Al fin, su amigo se despidió y se fue. Continuamos un rato sin hablar. Una orquesta inició «Brasil». Recordé fiestas de mi juventud. Sitios, caras, perfumes y palabras. Cuando escucho «Brasil» me siento en la obligación de ponerme contento. Hice un esfuerzo. Estiré los labios, mostré parcialmente los dientes y comencé a mover acompasadamente el pie. Mi conmovedor gesto pasó desapercibido. Ella seguía con los ojos clavados en el escenario donde unos bailarines intentaban con

éxito parecer ridículos y patéticos, alternativamente. Un tiempo después giró la cabeza y me preguntó con timidez si quería irme.

Mientras me llevaba a mi casa pensaba que tenía que decírselo, que en el primer semáforo que nos detuviera, o en el segundo, se lo diría. Después de unas siete paradas y cuando faltaba muy poco para llegar, le insinué que me gustaría tomar una última copa. Protestó vagamente a causa de la hora o de las convenciones sociales y aceptó.

El lugar, muy moderno, estaba semidesierto. Estrechos espejos verticales que reflejaban otros estrechos espejos verticales cubrían las paredes. Cerca del techo flotaba el resto de la bruma que había llenado el local unas horas antes. Allí todo era bajo, excepto los precios: las mesas, los asientos, el camarero y la calidad de las bebidas.

Levanté el vaso y bebí un sorbo. Sin pensar en nada, como si yo fuera un espectador de mí mismo, le dije que ella formaba parte de esos recuerdos que me acompañaban siempre y de los que le había hablado antes. Permaneció en silencio, todavía con una sonrisa rezagada e inerte. No sabía qué decir. Su voz tenía una curiosa intensidad. Le aseguré que no esperaba ninguna respuesta, que sólo quería que lo supiera, que no se preocupara. Lo único que me faltó fue pedirle perdón. De alguna parte surgió una voz desganada que cantaba «Portobello Belle». Yo miraba fijamente algo situado más allá de su cabeza, de los espejos y, creo, hasta de la ciudad. Cuando salimos me pareció que ella estaba tranquila.

Frente a mi domicilio la saludé con amabilidad, como los actores en el cine, y caminé unos pasos sin volverme. En ese momento todavía no estaba muy triste, unido aún a ella por el compartido susurro del motor de su auto. Me detuve y oí cómo aceleraba con suavidad y vi cómo se perdía lentamente en la noche entre luces rojas y difusas manchas. Seguí mirando un rato más.

EL NOROESTE

Fernando Quiñones

Aquella tarde se lo dijo.

Fresco el viento y Joaquín Quintana despacio, con el hombre, por el camino sobre el arrecife de la Puerta Vieja de La Caleta al castillo de San Sebastián.

La marea media abofeteaba las rocas con desgana y en la luz de las cuatro, plateando en las distancias, se oía su batir bajo los pequeños espaciados puentes del camino al castillo y al faro, que sólo ellos estaban recorriendo.

Al fondo de La Caleta, a sus espaldas, se curvaba como una herradura el blanco balneario fin de siglo, y ante sus ojos, lejano e inaccesible tras las almenas del viejo fuerte militar, el faro metálico se alzaba al sol igual que una estilográfica flamante, disonando, en la antigüedad del paisaje, del agua alegre y los roquedales negruzcos.

Esa tarde fue cuando el hombre se lo dijo.

–Es bueno este viento, pero para bañarse no –había hablado Joaquín primero.

El hombre bajo y fornido, que vestía de negro y casi siempre llevaba un libro en el bolsillo, se detuvo entonces y extendió un brazo a la redonda. Enseguida habló con aquel acento suyo convencido y algo solemne, con su caluroso pero nada cargante énfasis de costumbre, capaz de dar interés y sentido a cualquier cosa. Su corbata blanca flameaba en el aire.

–Sí, es un buen viento –dijo–. Y un poco raro en este tiempo porque es de noroeste. Fíjate cómo pone verdosa el agua. Ya por la parte de la Alameda no tanto; por allí el que manda es el levante. ¿Te gusta la Alameda, no?

–Iba siempre de chico; ahora menos. Pero claro que me gusta.

–¿Cómo que de chico –sonrió el hombre–, es que te tienes por viejo? Viejo, yo.

–No eres viejo –dijo Joaquín.

–Será que no te lo parezco. Cuarentinueve.

–No es eso. No eres viejo. Mi abuela sí que tiene un montón, y tampoco me suena a vieja. Pero lo es. Bueno, es que ella es como si fuera mi madre, es mi madre.

La ciudad extendía tras ellos su decaimiento y su belleza. Al otro lado de la bahía, más allá de los anchos llanos marinos, se agazapaba un pueblo blanco como bajo el gran peso del cielo, y el noroeste acumulaba polvo y pajuelas en los baches del camino sobre el arrecife.

Y Joaquín se quedó mirando al hombre cuando este le dijo muy poco después que, no ya a aquella hora, sino incluso a la de almorzar, se escapaba hasta allí

algunos días para estar a solas consigo, pretextándole a la hermana que alguien lo convidó y arreglándoselas con media botella de vino y un plato de pescado frito en alguno de los añosos bares cercanos a La Caleta.

Se quedó Joaquín mirándolo contra el mar rielante, con una mirada entre azorada y fija, porque entendió que el hombre le estaba hablando de una cosa y de una manera triviales en apariencia pero verdaderamente íntimas y como plagadas de algo, tal vez de una soledad inabarcable, algo que no estaba en las palabras mismas sino por detrás de ellas, algo oculto y muy fuerte.

Y Joaquín presintió que, aunque nada tuviera que ver con ellas, aquellas palabras del hombre podían dar paso inesperado –como en efecto lo dio– a que el hombre le dijese lo que él nunca hubiera querido oír y al «ten cuidao» de alguien que ya había avisado a Joaquín con una tosquedad burlona y breve, segura y cruel, que justamente utilizó Joaquín para repudiar aquel aviso, sin embargo cierto: el aviso de aquello que cambiaba de pronto el modo de mirarlo del hombre, y que devolvía la conversación del hombre a los temas de siempre cuando ya parecía ir a hablarle a Joaquín de algo que no era lo de siempre (como si aún no se decidiera o no fuera capaz de hacerlo), para hablar otra vez de lo que le importaba a Joaquín, de libros, de músicos, de cantaores, de reveladores lances de la guerra civil.

Pero ahora sí se lo había dicho.

Ahora se lo había dicho, así que los cuarentinueve años del hombre se iban a quedar otra vez solos, y los dieciséis de Joaquín también debían volver a vagar solos por la ciudad bullente y, para él, otra vez vacía

sin aquel amigo mayor, sin oírle hablar de Shakespeare, de Picasso, de Mozart, sin sus vivas orientaciones sobre el arte de Galdós, y el de los cantes de Enrique el Mellizo, o la perfecta habilidad de Stendhal y la fuerza verbal de los prohibidos, inasequibles Neruda, Alberti, García Lorca. Es decir, sin cuanto, más allá de sus nuevos, recién empezados trabajos en las noches del muelle pesquero, había ido llegando a ser el entero y recién nacido destino de Joaquín, su mundo, que aún no podían entender su vecino Germán ni ninguno de los demás amigos de su edad, y para el que había encontrado alimento y apoyo en el hombre maduro, bajo y fornido, con el que se veía a diario desde hacía tres meses y que tan comprensivo y afectuoso se mostraba con él.

–Te gusta de veras el arte y tienes cabeza y mucha curiosidad, ya verás como te abres paso en eso, Joaqui. Pero aquí no. En un Madrid o una Barcelona, Madrid te diría yo. Te vas a abrir paso como este noroeste, que no hay quien lo pare. Yo... yo no pude –dijo sin amargura el hombre.

El hombre del que ya tendría que alejarse Joaquín Quintana, como de otros antes, porque después de esas palabras sí se lo había dicho, se lo había dicho tocándole el brazo con una mano temblorosa:

–Te amo.

ALBINA

Héctor Bianciotti

De mi padre, a quien me he resignado a parecerme –y a quien no perdonaré el sueño utilitario que lo trajo a este norte donde he nacido– me impresionaron desde siempre su laconismo que aspira a fijarse en proverbios y el hecho de juntar los cinco dedos para rascarse la nariz. Como él, practico el besamanos, insólito aquí, quizá porque acabé convenciéndome de que es más cómodo que «mirarlas a la cara y tener que decirles algo», como él me explicó al constatar mi reticencia en una lejana ocasión; tal vez, porque ese ritual europeo me distingue de mis conciudadanos. Como él, interpongo distancias entre yo y los demás, y, sin duda, entre yo y yo mismo, o el otro, según suelen decir los libros, y me he acostumbrado a pensar que las cosas del alma, sobre todo la desdicha, existen irremediablemente si de ellas hablamos, si los demás están al tanto del motivo. Ignoradas, tienden a desaparecer. Esta convicción, que mi padre y yo compartimos, contiene nuestra mutua curiosidad y nos ha habituado a una suerte de docta hipocresía. Así fue como aquella mañana (acabo de

volver del cementerio y necesito ordenar estas cosas antes de que la memoria las ceda a la imaginación), hace años, en que le traje, como todos los días, el correo a su escritorio, intercalé entre los otros el sobre de color lila, alargado, con sellos franceses, que una escritura de apasionados arabescos llenaba casi por entero, como si ya de la carta se tratara.

Sonreí por dentro, pensando que el viaje a Europa de mi padre no había sido inocente, pese a su edad: al cumplir setenta años, tras de cuarenta de una convivencia con mi madre que ni siquiera un simple viaje de negocios interrumpiera nunca, había decidido pasar tres meses en Europa, solo. Aprovechó, para anunciar su viaje, el festejo de su cumpleaños, que aligeraba la adusta disciplina casera –cuando mi mujer descorchó la sonora botella de champaña, mientras sus nietos, mis hijos, aplaudían. No olvidaré la lívida alarma de mi madre, el silencio, los gestos paralizados, la espuma que desbordaba y excitaba a los chicos, las explicaciones de mi padre que aludía a un sueño irrealizado de juventud, recitadas como un discurso aprendido de memoria, pese a la introducción de sagaces tartamudeos. (Poco tardé en enterarme de que ya tenía en su poder el billete y, en efecto, partió al día siguiente.) Mi madre no dijo nada, sin duda para contener las lágrimas. No sentí pena por ella, sino un regocijo sórdido ante su visible esfuerzo por prolongar su expresión de desconcierto, a fin de retardar la humillación: más aún que creyente, devota sin mansedumbre, obraba como delegada de Dios, imponiendo su noción del bien y del mal a la casa entera, juzgando a través de su sentido

del pecado tanto el comportamiento, digamos, moral, como los modales. Nada escapaba a su autoridad y, sin duda, vivía convencida de que la aparente armonía doméstica –a la que contribuían mi cobardía o mi astucia, no sé diferenciarlas– era una recompensa del Altísimo a su perenne vigilancia. Cuando mi padre, que siempre había aprobado su severidad para evitar la fatiga de ejercerla, anunció, perentorio, su viaje, ella debió de creer que Jehová la sometía a una prueba –y es probable que de pronto prefiriera la más ruda a una eventual zozobra del proyecto. Aunque la mano le temblaba, sonrió al brindar, le auguró buen viaje y luego pasó la tarde preparándole las maletas, eficaz, precisa, yendo y viniendo con su porte seguro, con esa mirada posada sobre las cosas y los seres a su alcance, corta, presente, en la que nunca hubo nostalgia. Así se mantuvo hasta la partida. Pero desde aquel día su autoridad se fue volviendo intermitente –es decir, de bíblica, se tornó evangélica– y una especie de resignación le fue ablandando los rasgos. De hecho, aunque nada haya cambiado y continuemos repitiendo la misma vida, nos hallamos flotantes, hasta los chicos, como cuerpos exentos de otra gravitación que la procurada por los hábitos. A veces me pregunto si todo no se derrumbó para ella y si, pese a los signos de devoción que no han cesado de multiplicarse –de la comunión que, de dominical, se ha vuelto diaria–, aún cree en Dios.

Un idéntico sobre lila, colmo de aquella caligrafía imperial, llegó cada día durante una semana y cada vez lo disimulé entre los otros, hasta que una mañana –un sábado, recuerdo– no había otro correo y allí lo

dejé, en el buzón, por delicadeza, para que mi padre
siguiera creyendo en mi distracción, o en una tácita
complicidad. Lo cierto es que el lunes, cuando por la
ventana de mi cuarto quise ver si el jardinero había
ya abierto en la nieve el sendero que lleva al portal, vi
a mi padre que lo ayudaba a liberar los escalones del
porche y, acto seguido, impaciente, caminar a zanca-
das hundiéndose hasta las rodillas, hacia el buzón. Lo
esperé en el vestíbulo, como quien se dispone a salir,
y al verme se sobrecogió, llevando una mano tardía
al bolsillo del que despuntaban dos sobres de color
lila. Intentó retenerme, tal vez quería confesarme algo
para sentirse menos solo. Pero como las confidencias
me disgustan casi tanto como los relatos de sueños,
giré sobre mis talones y lo dejé solo, sacudiéndose
la nieve. (Si al día siguiente yo hubiese ido a buscar
las cartas, él habría creído que ninguna, en los últimos días, había llamado mi atención. Pero no lo
hice. No volví a hacerlo más. Lo dejé perpetuar su
sospecha y esa tarea que lo irrita a causa de la nieve, la infame nieve que aprisiona nuestra ciudad.) A
veces, mi indiferencia me asombra. He tenido, sí, en
mi vida, lo que algunos llaman desbordamientos del
corazón, sin que nunca los sintiera del todo míos.
Y las raras veces en que me he sentido colérico, en
medio de los sarcasmos de la cólera –que multiplico
por el placer siempre novedoso de acrecentarla–, en
el fondo y de súbito, siempre he sentido aflorar un
deseo de deambular tranquilo, de dormir. Así, las
pocas cosas notables de mi vida no me pertenecen, o
las he vivido a través de otros aunque sólo haya sido,

en cierta medida, lo bastante para tener una idea. Como del amor, cuya intensidad llegué a sospechar gracias a las cartas de color lila, es decir, a la que a su vez llegó, ya casi olvidada la historia, a mi nombre, a mi oficina, y que era, como las demás, de Albina, la fugaz amante de mi padre durante su estancia en Europa. Los sellos ya no eran franceses: Albina se había instalado en nuestra ciudad y me suplicaba que fuera a verla.

Una muchacha ambigua, con aspecto de enfermera más que de criada, me hizo pasar al salón en el que cuadros y espejos estaban aún en el suelo, apoyados contra las paredes. Albina se hallaba en medio, de pie, y me dejó llegar hasta ella sin dar un paso.

No esperaba hallar a una mujer joven, pues su letra no permitía tal conjetura, pero sí a una señora algo mayor que intentara parecerlo. Con su pelo entrecano, apenas ondulado, la cara lavada, sin otro afeite que el rosa pálido de los labios ni más adorno que un collar de perlas menudas sobre el vestido de lana gris, era una mujer de un refinamiento tranquilo. Sus ojos claros, vívidos, denotaban cierta ansiedad, pero no tardé en darme cuenta de que su poco aparente presencia disimulaba a una persona resuelta. Mientras una pausa en la conversación basta para que la mayoría de la gente dé la impresión de pensar que su vida ocurre en otra parte, de que la está esperando afuera, Albina, que acababa de llegar al país, parecía estar allí desde siempre y por entero, convencida de que, de ahora en adelante, su lugar era aquel y ningún otro. Para siempre aquel punto del planeta.

Sin rodeos, sin solicitar mi discreción –debió de intuir que era el mejor modo de conseguirla– empezó su relato. Sólo al terminar me dijo que, si había acudido a mí, era porque mi padre, que no había contestado a sus primeras cartas, le había hecho saber que todo había terminado entre ellos, como si de él solo dependiera; que renunciara a tener noticias de él, que su historia había sido un maravilloso paréntesis, pero también una culpa que los años que le quedaban de vida no le alcanzarían para purgar, en fin, que cesara de escribirle. Fue al recibir esa única carta cuando ella había decidido venir e instalarse: necesitaba comprender o, al menos, respirar el mismo aire; tal vez, un día, encontrarlo. Al azar, había añadido. Le hice observar, tratando de atenuar el énfasis del propósito con una sonrisa, que el azar no era más que un sobrenombre apacible de la fatalidad, y me sentí turbado al oír que esas palabras, poco más o menos, figuraban en la misiva de mi padre. Se puso de pie y fue a buscarla. Noté que cojeaba.

Me pareció excesivo que me diera a leer aquella carta agraviosamente escrita a máquina. Pero leí: era un florilegio de los dichos y sentencias que, pulidos durante una vida entera, habían adquirido, gracias a la aparente necesidad de cada palabra, la calidad de íntimos dogmas –los que regían la conducta de mi padre o, más bien, para él, la justificaban. Al cabo le habían servido, como todo concepto, para preservarse y dar de lado a la vida.

Entonces caí en la cuenta de que todo lo que había escuchado me había parecido aludir a personas que no eran ni mi padre ni la pulcra anciana que tenía,

frente a mí. La carta de mi padre, con sus usados aforismos, y pese al aspecto mecánico y a la firma que había deformado, transformaba el relato en realidad. Eran, ineludiblemente, él, el corpulento septuagenario, y esta tenue mujer los que habían trabado conversación frente a la «Marquesa de la Solana», en el Louvre, que habían caminado bajo la garúa hasta el hotel –vivían en el mismo y eso les había procurado una mutua y como supersticiosa alegría–, y que luego habían descubierto, no sin asombro y no sin reticencia, que se amaban. En este punto, Albina se había interrumpido, había clavado sus ojos en los míos antes de desviar la vista hacia los ventanales: la poca luz del día decrecía ostensiblemente sobre la ciudad erizada de chimeneas. La siempre prematura noche no tardaría.

Albina retomó el hilo de su narración, que era sucinta. En nuestras sucesivas entrevistas había de desarrollar, con infatigables detalles, las etapas –era su modo de revivirlas, de cerciorarse de que lo vivido no era mera ilusión. Hubo un breve preámbulo, sin embargo, que condenó en pocas frases el ya tan lejano casamiento razonable, vale decir, sin amor, la viudez aceptada como un destino benévolo, la ignorancia, perpetuada durante toda su existencia, del placer. «Físico», había añadido, tras una pausa. «Físico», había repetido, volviendo a mirarme con fijeza. Los lugares que había mencionado nada me decían, eran como decorados de sueño, fragmentarios. Pero de pronto vi un cuarto con sus luces exactas y sus parciales penumbras, de un color rosa ceniciento. Vi una cama destendida, vi los cuerpos desnudos de mi padre y de Albina, sus carnes

blandas, apretadas, sus viejas bocas confundidas. Y el tumulto del tránsito hacía tintinear los cristales.

No me repugna el folklore nervioso del amor –aunque sospeche que las emociones que depara son una torpeza del cuerpo–, pero pienso que, cuando el cuerpo se desdibuja con los años, debe reprimir toda efusión. El paciente decoro de la vestimenta, del peinado, la disciplina de las actitudes y los gestos que creo necesarios, sea cual fuere la edad, me parecen una forma elemental de dignidad, quizá la única que nos es dado oponer a las miserias de la decrepitud. Y Albina parecía, con su atildada presencia, corroborar mis convicciones: todo en ella era moderado y perfecto –todo en ella intentaba preservar el dibujo primigenio, disimular o ennoblecer el ultraje del tiempo, plegar, tiempo y ultraje, a una idea de forma. Vi su traje gris, holgado y las manchas que inundaban la piel de sus manos secas, vi su rostro diáfano de abuela y los tendones sobresalientes de su cuello que se perdían en el escote. Luego la volví a ver en el momento, aunque omitido, culminante de su relato –momento al parecer muchas veces repetido– y sentí una náusea inédita. Náusea de la ardiente vida escondida en ese cuerpo caduco. Pero también me sentí pobre –quizá a causa de su mirada que naufragaba y me pedía algo– porque intuí que el amor, el amor que todo lo puede, me había sido vedado.

No sé cuánto tiempo permanecimos callados y, yo, además, distraído: no sabía explicarme –no lo sabré nunca– la falta de afinidad de su aspecto, de su manera de hablar, con la ostentosa escritura ni con el color lila del papel.

Detrás de las ventanas, la noche, su blancura tenebrosa.

Cuando me puse de pie, apretó con ambas manos la mía. Yo no aumenté por ello la intensidad del saludo. Bajó los ojos, llena de zozobra, como si renunciara. Entonces pensé que sería correcto pedirle que me permitiera reiterar mi visita.

Y así lo hice.

Aquel día llegué a casa, quizá por primera vez desde la infancia, con un leve retraso. Desde el vestíbulo oí los sorbos inconfundibles de mi padre al tomar la sopa y el ruido cuidadoso de las cucharas. Una ráfaga de desolación me envolvió al entrar en el comedor, como si me sintiera culpable del silencio que reinaba y hasta de la parcimoniosa luz que arrinconaba sombras entre los muebles de caoba. Pensé alegar algún motivo para disculparme, pero no se me ocurrió nada, mientras iba a besar a mi madre que alargó una mano brusca hacia la campanilla –no para ordenar que recalentaran la sopa, sino para que el servicio continuara– y luego a mi mujer que me tendió la mejilla, pero sin alzar los ojos hacia mí, según su costumbre. No sé qué primaba en mi padre, si el agobio o la inquietud. Me sentí, de pronto, decidido, e interiormente desafiante, me serví y, sin persignarme como era el rigor, empecé a cenar sin hacer caso de los otros. Sin embargo, ya al acabar el plato, supe que aquella incipiente voluntad de desacato estaba abandonándome y que acabaría en nada. ¿De dónde me vendrá esa sensación de haber vivido todas las desilusiones, que me ha impedido vivir? Cuando pienso en el pasado, no hallo sino una repetición de

días blancos y estrictos. Sólo a veces, el sol sobre una colina verde, en lo que aquí llamamos verano. No me queda más que esperar que mañana, cuando yo sea mi padre, mis hijos no sientan lo que yo. Y que el amor no sea para ellos, como lo ha sido para mí, mera imitación: creo que aprendí las palabras, los actos, las graduaciones del sentimiento en los libros. Tal vez sea así a menudo, y el amor absoluto, el amor original, como el de Albina, un inconcebible retorno al paraíso o, digamos, una excepción. Antes de conocerla creía que mi vida era, poco más o menos, la vida. Ahora, habiéndola oído tantas tardes y comprobado su certidumbre, su entero amor, sé que hay algo fuera de mi mundo, que existe, y que no alcanzaré nunca. Y el mundo, mi mundo, se me ha vuelto una jaula.

Al principio fui a verla una vez por semana. Nuestras entrevistas tenían lugar el jueves a las cuatro frente a un buen té y a unos pasteles que nunca probé porque estaban espolvoreados de azúcar, un azúcar con aspecto de harina que, previsiblemente, se me quedaría pegada a los dedos y caería sobre el pantalón. Creo que Albina, ansiosa de tener noticias detalladas de mi padre, nunca lo advirtió, pues jamás insistió para que me sirviera ni me ofreció otra cosa. Un día me di cuenta de que me agradaba aquel salón pequeño, el terciopelo de los muros y de los cortinados, la moqueta del mismo color habano, aunque más claro, los cuadros discretos que no llamaban la atención, pero que, con los espejos y los muebles, creaban una geometría precisa, delimitaban el espacio con sus mutuas tensiones, fraguaban un

equilibrio que se hubiera hecho trizas apenas un sillón fuera desplazado –lo que nunca ocurrió en mi presencia. Era un refugio tibio– y la nieve, afuera, acentuaba esta impresión. A veces, cuando miraba, entre dos sorbos o dos frases, la ciudad nevada, me sentía breve pero intensamente feliz.

No consignaré las vicisitudes de la vida de Albina –de la que nunca me hubiera hablado si no hubiese yo insistido a fin de alterar la monotonía del recuento hebdomadario que esperaba de mí y cuyo objeto exclusivo eran, llamémoslas así, las actividades paternas. Cesé de indagar la tarde en que me dijo, con una sonrisa cansada, que su pasado era, como el de tantos, una novela que ilustraba el modelo tan mentado de la Cenicienta. Lo único que le importaba era el pasado inmediato, esos últimos meses que trataba de convertir en un tiempo inmóvil, y, ante todo, la vida de mi padre, su salud, su estado de ánimo (yo exageraba su melancolía, ya en el hecho de nombrar así su parquedad taciturna). En realidad, había atravesado el océano para saber qué tiempo hacía aquí, dónde vivía mi padre. Y yo la comprendía: cuando leo las memorias o las biografías de hombres ilustres, me falta algo si no hallo alguna alusión a la meteorología.

Un día me anunció que le escribiría de nuevo, «por última vez», se apresuró a decirme porque debí de estremecerme, y, cómo ya no podía borrar la alarma que había denotado, me atreví a pedirle que renunciara a sus sobres de color lila. Lo hice por mi madre, que vivía en la ignorancia, y empezaba a darme pena. O por mí, para no tener que soportar el drama irreparable, si llegaba a saber. Albina no me pidió explicaciones.

El amor que sin duda sintió por ella mi padre, si bien me había sorprendido, no me maravillaba, porque no había sido imperecedero. Para que lo fuera, hubiera sido necesario que el rechazo lo sufriera él. Alguna vez, cuando Albina me parecía singularmente desdichada, es decir, cuando no lograba disimular su desdicha, sentí la tentación de razonar así, para inducirla a interrogarse sobre su propio sentimiento, pero renuncié porque mis palabras le habrían sonado como injurias, dejándola definitivamente sola.

Pasaron las semanas, los meses, no el fervor, el éxtasis calmo que fue el estado natural de Albina, aun cuando la enfermedad acabó por paralizarla. Intentar decirlo, decir lo que pude entrever del júbilo doloroso que la llenaba por entero, equivaldría a la imposible descripción de la música. No lo intentaré, aunque esa intuición constituya el hecho más importante de mi vida y aunque esté convencido de que las cosas que no logran cristalizarse en palabras poseen una realidad mermada.

Lo demás, son imágenes sueltas, momentos, sus miradas, el tono de su voz más que las sabidas palabras, que perduran en la memoria como señales, puntos de referencia de un arrobamiento del alma, como dicen los místicos, ajeno a mí, pero que he llegado a entrever. Por ejemplo, aquella visita a nuestra casa, en ausencia de toda la familia que había aprovechado, con un optimismo que nunca he compartido, la relativa clemencia del tiempo para ir de excursión a los lagos. El jardín, recuerdo, empezaba a emerger de la nieve, al menos su trazado. Desde que bajamos del coche, Albina, a quien entonces el dolor de la pierna le había impuesto el uso

de un bastón, me dio la impresión de haber pasado del estado moroso del recuerdo, a un estado activo, como si acumulara toda su energía para captar lo que veía, y todo su ser se concentrara en sus ojos. De vez en cuando se detenía y bajaba los párpados, como si quisiera que la imagen del árbol o de la ventana con visillos de encaje, quedara grabada para siempre en su retina. Tal era la intensidad de su mirada que parecía sostener y combinar las formas y los colores en lugar de recibirlos. Y probablemente, a fuerza de atención, no veía lo que veía.

Miró el perchero y, en él, el abrigo y el sombrero de fieltro marrón, y noté que los reconocía. Encendí las lámparas habituales, es decir pocas, para que los cuartos tuvieran el aspecto de todos los días y que Albina, al imaginar en ellos a mi padre, mañana, lo hiciera con veracidad, entre colores apagados, bajo esa luz enferma. La tomé del brazo porque temía que su bastón resbalase si lo apoyaba en las alfombras que se escurrían sobre el piso de madera afanosamente encerado. Caminábamos casi de puntillas, y yo mismo me puse a hablar en voz baja, como si temiera la irrupción de mi madre. Albina miraba los muebles, los objetos –sobre todo el escritorio y el sillón junto a la chimenea, con la lámpara de pie a un costado–, el paisaje detrás de cada ventana; luego resumía de un vistazo el conjunto y se volvía hacia mí, con una especie de satisfacción que entendí días más tarde, cuando me dijo que al fin podía distribuir en sitios precisos los recuerdos de mi padre y las noticias que yo le daba, y que eso le permitía formar parte de su vida.

Del salón pasamos de nuevo al vestíbulo y de allí al comedor, a las dependencias de servicio y, de vuelta, nos asomamos a un cuarto que era, gracias a mi mujer, casi alegre comparado con el resto de la casa, y al de mis hijos, en el que reinaba un orden de cuadernos y juguetes desmoralizador en un cuarto de niños. Hubiera querido omitir el de mis padres, pero Albina miraba la única puerta que permanecía cerrada y acepté su tácita petición. Yo no había entrado en él desde hacía mucho tiempo y, quizá porque estaba con Albina, lo vi al fin como si fuera la primera vez: yo había nacido en ese cuarto lóbrego, en esa cama de respaldo acolchado, entre las dos lamparitas con caireles de color celeste que eran la única nota de color en un conjunto desteñido que tendía, pese a la pulcritud maniaca de mi madre, a una uniformidad de tono polvoriento. Pensé con nostalgia, en aquel momento, que la naturaleza me había dotado de cierto criterio estético, pero sin otorgarme la capacidad o el valor de imponerlos. Albina tenía los ojos fijos en las pantuflas de mi padre que asomaban de un sillón con volante plisado, introduciendo una nota íntima, familiar, y para ella, sin duda, pungente. Nos habíamos quedado prácticamente en el umbral a causa de los reclinatorios que, a uno y a otro lado de la cama, entorpecían el paso. O tal vez, a causa de ese efluvio arcaico de viejos muebles, de envejecidas noches que nos envolvió –un olor en el que hubo de pronto sabores lácteos, humedad de pañales, a través del cual mi olfato, por su cuenta y a tientas, buscó imágenes, rumores de antes de las palabras, hasta que volví a sentir lo que era: aire estancado, espeso.

Una Inmaculada Concepción y un Corazón de Jesús, atravesados por sendas palmas resecas, pendían, simétricos, a la altura de las mesas de noche. En una de ellas, mi fotografía de casamiento, en la que mi mujer era la suave muchacha que había decorado nuestra habitación con telas claras y que ya no se parecía a la que hoy, harta de mi inercia, no esperaba sino el momento de suplantar a mi madre en el ejercicio de la autoridad.

No sé si fue allí, frente a los reclinatorios, o más tarde, cuando soslayamos por única vez el frecuentado tema de Dios y de su derivado, el más allá. Albina no creía: serenamente, sin pena. Y con esa manera de eludir las ideas intermedias que ya no me sorprendía porque todo, de alguna manera, había de converger en mi padre, había agregado que el único lugar donde encontrarse había sido y sería este, la tierra.

Hoy ya no sabría decir si volvimos al salón y nos sentamos un momento, o si la llevé en seguida a ese salón de té en el centro de la ciudad, al que habíamos ido ya alguna vez. La memoria es aturdida; a lo largo del tiempo, las imágenes sucesivas de un hecho derivan y se multiplican por medio de asociaciones que urde la fantasía, y terminan ignorándose o desmintiéndose. Así, el recuerdo de la visita se oscurece allí, frente a los reclinatorios, y ni siquiera nos veo volvernos y cerrar la puerta. (¿Me habré olvidado de cerrarla?)

Tampoco sabría referir el progreso de la enfermedad de Albina. Sé que a partir de un determinado momento, que sólo retrospectivamente pude juzgar determinado, no la volví a ver de pie: me esperaba sentada,

dejaba que me marchase sin levantarse. Las manos le temblaban, y tanto que un día, al querer tomar la taza de té, el temblor se convirtió en aleteo como si una parte de su cuerpo se le escapara; las manos intentaban asirse mutuamente sin lograrlo, de modo que hube de tomárselas entre las mías y esperar que se apaciguaran antes de devolverlas al regazo donde Albina las mantuvo, con un esfuerzo crispado. Me llamaba a mi escritorio y eludía, siempre con la misma risa breve, todos los ofrecimientos de rigor en tales casos, pero que en este eran sinceros. Por teléfono empezó a tutearme y creo que le gustó que yo también la tuteara. Luego llegó, fatal, la hemiplejía y, cuando la muchacha enfermera me dio la noticia –fue la primera vez que oí su voz–, me pidió, como si se tratara de la voluntad de Albina, que no fuera, y prometió tenerme al tanto.

Volvió a llamarme para decirme que Albina agonizaba. Cuando entré en el cuarto, Albina había muerto. Murió mediada la mañana, cuando debe de ser más triste morir. Tenía la boca entreabierta y una mano en torno al cuello. La muchacha entraba y salía, haciendo sin duda cosas indispensables en las que yo no reparaba. La alta silueta del médico, que miraba con aplicación las paredes, me llamó en cambio la atención: lo miré a la cara, sonrió y desvió los ojos hacia la pared a mis espaldas, luego a la que tenía frente a él. Me volví y descubrí que estaba enteramente cubierta de ampliaciones fotográficas como carteles y que todas representaban a mi padre. Proliferaban en las tres paredes que desde su lecho Albina podía ver. Reconocí el Arco de Triunfo y el Teatro de la Ópera de París, que sólo conozco a

través de fotografías. En una de ellas, mi padre miraba al objetivo, es decir, a quien mirase el retrato, y su talla era la real. El médico volvió a sonreírme: con torpe indiscreción intentaba decirme que había reconocido a mi padre. Bajé la vista y lo dejé marcharse sin permitirle la confidencia.

Entre tanto, la muchacha le pasaba a la muerta una tira de gasa debajo del mentón y se la anudaba entre los cabellos, le cruzaba las manos sobre el pecho, alisaba el reborde de la sábana. Me pidió que la siguiera y, en el salón, me dio un libro con cubierta de cuero rojo, nueva, y que era, en realidad, un cuaderno (que estoy quemando en la chimenea, mientras la casa duerme, cuidando de que las gruesas tapas no resistan al disminuido fuego). En la primera página, la alta y vegetal letra de Albina rezaba, a modo de título: «El amor no es amado», subrayado con una especie de rúbrica afanosa. Abajo, la dedicatoria a mi padre: «A ti, Fernando», seguida de puntos suspensivos. Me puse a hojearlo sin detenerme en leer nada: en ese momento había decidido ya o, digamos, supe, que nadie lo leería. Noté, al pasar las hojas, que la letra de Albina se iba degradando hasta convertirse en garabatos ostentosos. Y que en algunas, dadas las márgenes y la disposición tipográfica, la prosa había pretendido al verso.

No sé bien por qué razón no le di el cuaderno a mi padre –tal vez las razones fueron múltiples. Porque nada merecía quien había gozado de un ser desconocido, obligándolo a seguir sus huellas para adorarlo o dejarse adorar, antes de devolverlo al olvido. O, quizá, para evitarle a Albina el póstumo agravio de que no

lo leyera y él mismo lo hiciera desaparecer. O acaso, por esa idea o convicción mía –proporcionada por la fantasía, lo sé– de que en el mundo la comedia de la felicidad, o el drama, deben cumplirse del todo y que la desdichada historia de Albina sería así rotunda, cabal, en la oscura contabilidad del tiempo –sus prosas de amor, como esos juegos de la geometría en el corazón rayado de las piedras más hondas.

Entraron un hombre y una mujer, empleados de la funeraria, con maletines e indescifrables adminículos; la muchacha los hizo pasar al cuarto de Albina. Cuando se marcharon, pasé a verla. Dos cirios iluminaban su rostro. Según la benévola costumbre de la muerte, la piel había adquirido una lisura en que las arrugas se fundían como un sutil dibujo que se transparentara.

Hoy la hemos enterrado, mejor dicho, la hemos conducido al cementerio, que no es, bajo tantos metros de nieve, sino una meseta blanca en la que despuntan unas pocas cruces, las de los panteones más altos. Ya no había sitio en las dos capillas abiertas a los vientos, donde se depositan los féretros hasta que, bien entrada la primavera, la nieve se funde y las tumbas afloran de nuevo. De modo que la dejamos al borde de la avenida principal, la única que los empleados municipales despejan, junto a otros muertos que también esperaban el deshielo, féretros suspendidos con gruesas cuerdas, cada uno a dos altos postes con aspecto de cadalso, balanceándose suavemente en el viento como barcas.

Una vez terminada la tarea, los empleados de la funeraria se quedaron unos segundos, incómodos sin duda, porque ni la muchacha ni yo rezábamos. Luego

nos preguntaron si podían marcharse, y la muchacha asintió y les dijo que se volvía con ellos. Yo preferí caminar. Pero me quedé un rato allí, solo, queriendo pensar en Albina de un modo intenso: no nos habíamos dicho adiós, o sin saberlo.

Eché a andar y a un centenar de metros me paré y me volví: ya no se veía sino la meseta blanca de antes, con una que otra cruz. Y de pronto, más allá, en la montaña, entre dos paneles de piedra, hubo una claridad creciente y una alta muralla cortada a plomo se encendió: el cielo, es decir, la atmósfera, concedía un crepúsculo entreabierto. Y en seguida, como en el teatro, cuando los proyectores disminuyen su intensidad hasta el apagón final, la luz sobre la piedra declinó en un instante y la piedra se fundió en el agobiado paisaje.

Un sentimiento de felicidad, como una ráfaga, me traspasó. Tal vez yo había sido el único en presenciar ese juego del sol. Tal vez había sido mi destino presenciarlo, y ahora era el guardián de esa efímera imagen.

FUENTES

SE MIRAN, SE PRESIENTEN, SE DESEAN

«Silencio tan de Silvia», Carlos Castán, de *Museo de la soledad*. Zaragoza, Tropo Editores, 2007.

«El principio de la continuación», Antonio Álamo. En *Blanco y negro*, 25 de julio de 1999.

«Cubriré de ores tu palidez», Eloy Tizón, de *Velocidad de los jardines*. Barcelona, Anagrama 1992.

«Copia en blanco y negro», Santiago Sylvester, de *La prima carnal*. Barcelona, Anagrama, 1986.

«Gente extraña», Josan Hatero, en VV. AA., *Lo del amor es un cuento, Antología de relatos*. Madrid, Ópera Prima, 2000.

«El amante de la capilla», Alfonso Cueto, en *Eñe*, 5, Primavera 2006, pp. 105-110.

SE CODICIAN, SE PALPAN, SE FASCINAN

«Autobús», Luis Mateo Díez, de *Los males menores*. Madrid, Alfaguara, 1993.

«La divina proporción», Esther Cross, de *La divina proporción y otros cuentos*. Buenos Aires, Emecé, 1994.

«Eros bifronte», Rosa Chacel, en *Icada, Nevda, Diada*. Barcelona, Seix Barral, 1994.

«No», Antonio Di Benedetto, de *Cuentos completos*. Buenos Aires, Adriana Hidalgo Editora, 2006.

«Conseja», Emilio S. Belaval, de *Cuentos de la Plaza Fuerte*. Rumbos, Barcelona, 1963.

SE ACOMETEN, SE ENLAZAN, SE ENTRECHOCAN

«Inevitable», Carmen Cecilia Suárez, en VV. AA. (Selección y prólogo de Raúl Brasca), *Nosotras, vosotras y ellas, Antología de cuentos breves*. Buenos Aires, Ediciones Instituto Movilizador de Fondos Cooperativos, 2006.

«Pigmalión», Manuel Vázquez Montalban, de *Pigmalión y otros relatos*. Barcelona, Seix Barral, 1987.

«Felicidad», Mercé Rodoreda, de *Veintidós cuentos*. Madrid, Mondadori, 1988.

«¿Te gusta Brahms?», Linda Berrón, de *La cigarra autista*. San José, Editorial de la Universidad de Costa Rica, 2002.

«Malentendidos», Adolfo Bioy Casares, de *Guirnalda con amores*. Buenos Aires, Emecé, 1959.

«Jabón», Juan Carlos Onetti, de *Cuentos completos*. Madrid, Alfaguara, 1994.

«El cortejo secreto», Oscar Peyrou, de *Máscaras de polvo*. Madrid, Editorial Verbum, 1992.

«El Noroeste», Fernando Quiñones, de *Tusitala. Cuentos completos*. Madrid, Páginas de Espuma, 2003.

«Albina», Héctor Bianciotti, de *El amor no es amado*. Barcelona, Tusquets, 1983.

ÍNDICE

SE ACOMETEN, SE ENLAZAN, SE ENTRECHOCAN

SE DESMAYAN, REVIVEN, RESPLANDECEN

Se miran, se presienten, se desean,
se acarician, se besan, se desnudan,
se respiran, se acuestan, se olfatean,
se penetran, se chupan, se demudan,
se adormecen, despiertan, se iluminan,
se codician, se palpan, se fascinan,
se mastican, se gustan, se babean,
se confunden, se acoplan, se disgregan,
se aletargan, fallecen, se reintegran,
se distienden, se enarcan, se menean,
se retuercen, se estiran, se caldean,
se estrangulan, se aprietan, se estremecen,
se tantean, se juntan, desfallecen,
se repelen, se enervan, se apetecen,
se acometen, se enlazan, se entrechocan,
se agazapan, se apresan, se dislocan,
se perforan, se incrustan, se acribillan,
se remachan, se injertan, se atornillan,
se desmayan, reviven, resplandecen,
se contemplan, se in aman, se enloquecen,
se derriten, se sueldan, se calcinan,
se desgarran, se muerden, se asesinan,
resucitan, se buscan, se refriegan,
se rehúyen, se evaden y se entregan.

OLIVERIO GIRONDO
"Poema n° 12", en *Espantapájaros (al alcance de todos)*,
Proa, Buenos Aires, 1932.

Este libro de Páginas de Espuma
se terminó de imprimir
en febrero de 2008